D0419867

DOCTEUR TRAN KY
DOCTEUR FRANÇOIS DROUARD

LES APHRODISIAQUES

UN PEU, BEAUCOUP, PASSIONNÉMENT...

ÉDITIONS ARTULEN
16, avenue d'Iéna
75116 PARIS

AUTRES OUVRAGES DE L'AUTEUR

Aux Éditions Artulen :

- *Les vertus thérapeutiques du champagne*, Paris, 1990 (en collaboration avec F. BONAL et le docteur F. DROUARD).
- *Les vertus thérapeutiques du bordeaux*, Paris, 1991 (en collaboration avec les docteurs F. DROUARD et J.-M. GUILBERT).

Autres Éditeurs :

- *Les racines du sexe*, Presses de la Renaissance, Paris, 1985 (en collaboration avec le docteur F. DROUARD).
- *Nos drogues quotidiennes*, Éditions Sang de la Terre, Paris, 1985, (en collaboration avec le docteur F. DROUARD).
- *Obésité*, Éditions Économica, Paris, 1984.

Photo de couverture : Agence photographique Giraudon
Jean Honoré FRAGONARD (1732-1806)
Le Verrou, détail, musée du Louvre, Paris.

I.S.B.N. 2-906236-16-0

INTRODUCTION

ON NE BADINE PAS AVEC LE SEXE...

Aussi loin que l'on puisse remonter dans l'histoire de l'humanité, le sexe a toujours fait sensation, qu'il ait été traité avec sérieux ou présenté comme un objet sacré. En effet, les dieux de la Grèce antique, tout comme ceux des autres civilisations, étaient non seulement vénérés pour la taille extraordinaire de leurs parties intimes, mais aussi pour l'extravagance de leur virilité.

Étant source de vie et, à certains égards, principe organisateur du monde, le sexe fut donc considéré comme un organe privilégié et consacré par toutes les religions. C'est ainsi que l'Ancien Testament condamnait déjà la femme qui osait manier avec mépris ou légèreté l'organe servant à la création des générations. Celui-ci fut d'emblée revêtu d'une fonction intangible et originelle, outrepassant le rôle biologique qui lui est normalement attribué par la nature.

C'est pourquoi toute défaillance fonctionnelle, qu'elle soit réelle ou supposée, accidentelle ou pathologique, constituait alors un état à la fois intolérable, inavouable et angoissant, réclamant tous les soins possibles. La moindre négligence en la matière, et pire encore, toute incapacité à répondre, dans le cadre matrimonial, aux ardeurs de la conjointe, risquaient d'entraîner la réprobation générale, voire une condamnation pure et simple par les juges de l'Église.

Les ressorts qui animent cet organe irremplaçable furent d'ailleurs de tout temps entourés d'une aura prestigieuse. Toutefois, cette verge qui fait toute la fierté de l'homme ne manqua jamais de l'intriguer, soit par ses mystères, soit au pire par ses caprices incontrôlables.

Ainsi, Aristote soulignait-il en son temps que seuls le cœur et la verge sont curieusement « *deux sortes d'animaux qui se remuent d'eux-mêmes* ». Cet intérêt pour le sexe apparaît jusque chez les peuples les plus primitifs, comme chez certaines tribus papoues qui, en dépit de leur nudité, possèdent un élégant étui à pénis servant à protéger l'incomparable organe, afin de ne pas attirer la jalousie des « *esprits maléfiques de la forêt* ».

Au XVIe siècle, nos chevaliers cherchèrent également à rehausser l'éclat de leur sexe en portant un étui de cuir bien ciré appelé « brayette » (ancêtre de la braguette), dont le rôle était d'exhiber la force du plus digne attribut du cavalier ! Irrité par cet artifice dont s'enorgueillissaient tant de ses contemporains, Montaigne, indigné, parlait à ce sujet d'une « *ridicule pièce* » qui « *accroît leur grandeur naturelle par fausseté et imposture* ». (*Essais*, Livre I, chap. 1).

Aujourd'hui, dans nos sociétés où ne manquent pourtant ni sexologues ni sex-shops, les heureuses performances du pénis de nos concitoyens peuvent parfois s'évanouir comme fumée au vent, sans que leurs propriétaires puissent en comprendre la raison.

En dépit de sa superbe et après maintes années de bons et loyaux services, la verge peut donc un jour se montrer rebelle. Sa désobéissance, caractérisée par la paresse ou l'indifférence, met inévitablement son maître aux abois. Ces manifestations sont d'autant plus alarmantes que nous vivons dans une société où règnent l'exaltation et la surestimation du mâle. Les propos tenus par le docteur Venette sur les « parties naturelles », au XVIIe siècle, en témoignent :

> « *Dieu a créé avec un soin particulier les parties qui doivent servir à la génération de l'homme. A voir leur assemblage, leur proportion, leur figure et leur action, à considérer les esprits qui y sont portés, les chatouillements et les plaisirs que l'on y ressent, l'âme même*

Collection Musée de l'Homme

Détail d'un étui pénien, tribu Big Namba.
Photo de J. Guiart, Ile Malekula, 1951.

qui y réside, il n'y a point d'homme qui ne les admire et n'y doive faire de particulières réflexions. »

Il est indéniable que dans un tel contexte, tout individu qui avait le malheur d'être privé de la magnificence de sa verge courait le risque d'une exclusion de la part de ses semblables.

L'homme dont la puissance sexuelle s'était inexorablement ternie, souffrait donc, même au siècle des Lumières, de toutes sortes d'humiliations souvent imposées par la loi et la société.

Le martyr du Marquis de Gesvres

Jeune homme issu de bonne noblesse, beau et bien élevé, Le Marquis de Gesvres connut ainsi une destinée fort injuste et cruelle. Bien qu'il ait été marié à l'âge de vingt-trois ans, en pleine fleur de sa puissance juvénile, il se montra selon les rumeurs fort peu porté sur la chose.

En effet, après un an de vie conjugale et malgré les cajoleries de son épouse, belle et dévouée, la défloration n'avait toujours pas eu lieu. La Marquise qui s'étonnait de la rareté des visites de son époux crut dans un premier temps qu'il se rendait ailleurs pour consoler d'autres cœurs. Mais celui-ci allait tout bonnement à la chasse ou lisait bien sagement dans sa chambre, ce qui exaspérait encore davantage sa jeune épouse.

Face à l'inquiétude de sa fille, la belle-mère prit alors l'affaire en main. Elle s'enquit d'abord des circonstances exactes des ébats d'alcôve, apprit de sa fille que « *le membre du Marquis se montrait fort mou...* » et qu'à aucun moment il ne parvenait à conquérir sa virginité selon les règles de l'art.

Intriguée par ce mariage non consommé, la belle-mère demanda conseil auprès d'un juriste réputé pour ses compétences en matière d'empêchement dirimant et fit entamer une procédure judiciaire destinée à prouver la nullité du mariage, et par là, la condamnation, c'est-à-dire le divorce ainsi que la réparation avec dommages et intérêts.

Selon les documents de l'époque, voici ce qu'affirma l'homme de loi :

> « *Il faut que la femme que son cœur a choisie fasse naître dans son sang cette chaleur et ce mouvement qui, en inspirant les désirs, donnent aux organes de l'homme un mouvement et une étendue qu'ils n'ont point dans leur état de tranquillité... Il faut encore qu'il renferme en lui les germes de la génération, et qu'il soit capable de les déposer dans le sein de la femme au moment de leur union.* »

Autrement dit, même en dehors de l'accouplement, le sexe devait montrer la vigueur nécessaire à sa mission. A la suite de ces précieux conseils, la Marquise se mit au travail et s'efforça, durant encore quelques mois, de réveiller le membre endormi, mais en vain. Désespérée, elle retourna vers le tribunal pour demander remède et secours. La suppliante, avec l'aide de sa propre famille, déposa donc une plainte pour « *non-consommation du mariage après plus d'un an de vie conjugale* ».

En ce début du XVIIIe siècle, temps de gloire du machisme et de la loi canonique, les choses n'étaient cependant pas simples et il faut vraiment admirer l'audace de cette femme qui osa étaler l'affaire en public, en déposant sur le bureau de l'official une « *requête en nullité de mariage pour absence de virilité* ». L'acte déclencha aussitôt les procédures d'une lourde machine d'inquisition juridique où les deux clans allaient s'affronter pour une simple question d'honneur !

Chaque famille commença donc par recueillir des témoignages plus ou moins solides. La première démarche, appelée « *septima manus* », impliquait que sept personnes au moins fussent réunies pour confirmer avoir « *ainsi ouy dire que les parties n'ont pas pu consommer le mariage* ». Tout reposait encore sur des rumeurs sans preuves.

Le juge d'Église, personnage en principe intègre, procéda donc à l'interrogatoire du présumé impuissant, dénoncé par son épouse. Il devait éclaircir les points litigieux concernant la nature de cette défaillance, son moment d'apparition et savoir si des médecins avaient été consultés ou si des traitements avaient été administrés depuis le début du mal...

Le jugement fut d'autant plus sévère que l'accusé se savait déjà atteint avant de contracter l'hyménée. Il profanait ainsi un sacrement, avec intention et préméditation. Cette affaire doit cependant être nuancée dans la mesure où il arrivait souvent qu'un juge, soudoyé par l'un des clans, aboutisse à des conclusions contraires à la réalité afin de favoriser son client le plus généreux. C'est ainsi que moyennant finance et dessous-de-table, certains accusés parvenaient à sauver la face tandis que des maris parfaitement virils se trouvaient étiquetés « d'impuissants », faute de moyens !

A la suite de ce préambule élaboré, venait l'étape proprement médico-légale. Sept à neuf « *experts* » étaient réunis pour cette phase décisive à laquelle participaient des médecins, des chirurgiens et des sages-femmes, chargés d'examiner, de tâter et de mesurer les parties intimes des époux litigieux, et ce, aussi bien à l'état de quiétude qu'après la phase de sollicitation. Leurs constatations précisaient l'anatomie, la taille, les mouvements et les variations de volume, dûment calculés, de la verge.

Ils avaient également à charge de vérifier la virginité ou la défloration de la plaignante. Mais la déchirure de l'hymen d'une telle suppliante pouvait aussi bien être interprétée comme un adultère que comme le résultat d'une conduite immorale d'avant le mariage. L'examen se déroulait ensuite comme nous le narre avec saveur un juriste témoin de la scène :

> « *On fait coucher une fille tout de son long, estendue sur son dos les cuisses escarquillées, l'une deçà, l'autre delà : on voit clairement les parties honteuses, lesquelles nature a voulu cacher pour le plaisir et contentement des hommes. Les matrones, qui sont sages-femmes et vieilles, et les médecins les regardent attentivement, les manient et les ouvrent. Le juge, qui est présent, fait bonne mine et s'empesche de rire... Le chirurgien, avec un membre viril fait de cire, sonde le guay de l'antre vénérien, il fait l'ouverture, dilate,*

Roger-Viollet

Gravure anonyme illustrant « *La Pucelle* » de Voltaire.
Bibliothèque nationale, Paris.

estend et eslargit les lieux... C'est honte d'en dire davantage. »

(Extrait des quatres livres des *Arrests et choses jugées par la cour,* Anne Robert, Paris, 1627.)

Cette « *visitation des parties* » pouvait durer une journée ou deux. Elle fournissait des arguments soigneusement consignés en latin par les greffiers, dans les procès verbaux, et attestés et signés par tous les membres de l'enquête. Un juriste scandalisé par le spectacle fort peu chaste de la cour, dénonça l'indécence de ces manœuvres en ces termes rabelaisiens :

« *Tellement qu'encore elle se soit fait visiter estant vierge : elle ne sort point toutefois de là qu'elle ne soit corrompue et gastée.* »

Cependant, l'accord était très rarement unanime. Une différence d'un ou deux centimètres, la rigidité capricieuse de l'organe, les variations de la durée dans l'attente comme dans l'érection, la présence de tremblements de l'organe (flasque ou rigide), ou encore sa capacité à remuer dans le sens du va-et-vient... représentaient autant de points de divergences entre les experts qui commentaient la situation avec une verve savante et imagée, qu'il fallait parfois tout recommencer. Si l'accusé déclarait qu'il était ce jour-là fatigué, malade ou « *peu disposé* », il en avait le droit et l'expertise pouvait être reportée à une date ultérieure.

L'enquête se prolongeait encore et encore pendant des mois, sinon des années. Il arrivait même qu'un enfant naquît au cours de ce procès interminable ! Était-il du mari ? La réconciliation avait alors lieu comme par miracle.

Tous les procès n'étaient cependant pas aussi idylliques. En général, lorsque le litige s'éternisait, c'était finalement le juge lui-même qui intervenait pour trancher, en son âme et conscience, que l'impuissance était ou non réelle. Tout était donc vague, arbitraire et folklorique, ce qui ne manquait pas de défrayer la chronique et d'animer les conversations dans les salons.

Les trois critères de la virilité : dresser, pénétrer et éjaculer

En termes de droit canon, toute virilité suppose trois actes qui doivent être parfaitement accomplis lors de la tendresse. Le premier, « *ut arrigat* », signifie l'érection. Le deuxième, très compliqué et pudique, se dit en latin de cuisine « *ut vas saemineum referet* » et veut dire simplement l'intromission. Enfin, l'acte suprême qui couronne l'union s'appelle « *ut in vas saeminet* ». Il traduit l'émission de la semence au bon endroit et au bon moment. Mais le langage populaire préfère appeler un chat un chat et dit sans ambiguïté : dresser, pénétrer et éjaculer.

Ce fut surtout à partir de la Renaissance que ces trois conditions furent adoptées comme critères nécessaires et suffisants pour juger les individus accusés d'impuissance.

Notre infortuné Marquis dut subir une première « *visitation* » le 17 février 1712. Comme l'expertise ne fut point concluante, une seconde visite s'imposa le 3 avril. Mais le rapport précisa que le malheureux, fort gêné par la présence de tant de témoins, ne parvenait pas à faire ériger l'organe. On décida alors d'examiner la chose en comité limité et en stricte intimité.

Trois semaines à peine après la deuxième visite, un médecin et un chirurgien, accompagnés d'un greffier, se présentèrent dès l'aube au domicile du présumé impuissant. Le moment fut jugé opportun puisque l'érection matinale est de règle chez tous les jeunes gens. Ils trouvèrent effectivement l'organe assez viril, animé de « *mouvements naturels et de tension élastique* », mais estimèrent néanmoins qu'il « *n'avait pas les qualités suffisantes pous consommer le mariage* ». Le rapport établi fut contesté par les autres membres du comité qui exigèrent un deuxième examen.

Finalement, après trois vérifications successives à une demi-heure d'intervalle et toujours à l'improviste, pour surprendre les caprices de la verge, on reconnut que la partie virile était bel et bien en érection c'est-à-dire « *tendue et dure...* ». Malheureusement, la conclusion de l'enquête fit comprendre que « *ny la tension ou la dureté, ny la durée dans cet état ne nous ont paru suffisantes pour l'acte de génération* ».

Par conscience professionnelle, il arrivait même que les médecins couchent dans une chambre voisine de celle de l'accusé. Celui-ci pouvait ainsi les réveiller aussitôt que se produisait une lueur d'espoir, afin qu'ils fussent témoins de sa splendeur passagère. Dans le cas du Marquis, hélas, les experts ont bien constaté que la verge était « *un peu plus grosse et élevée que la veille* », mais ils n'ont pas estimé qu'il s'agissait là d'une érection.

Selon les affaires jugées, le débat pouvait ainsi traîner pendant plusieurs années, au milieu d'émanations tragicomiques. Et ce, sans ternir le moins du monde l'enthousiasme du public qui suivait avec passion le déroulement de chaque « *visitation* ». La plupart du temps, des avocats intervenaient pour préconiser un arrangement à l'amiable. La Marquise de Gesvres finit ainsi par obtenir un dédommagement honorable et abandonna la partie.

Dans certains cas cependant, surtout lorsque persistaient des points litigieux, la procédure culminait avec « *l'épreuve du congrès* » au cours de laquelle le mari devait prouver sa puissance d'homme devant témoins compétents, en déflorant sa tendre épouse en bonne et due forme et en public.

Un des procès les plus mémorables de l'époque fut celui du Marquis de Langey. Dix médecins, chirurgiens et matrones, âgés et expérimentés, observèrent les moindres détails de cette joute amoureuse qu'ils consignèrent en termes fleuris sous le regard intéressé du juge et de l'éternel greffier.

Dans cette affaire, les fastes de la jurisprudence ecclésiastique mis en place furent si somptueux qu'ils provoquèrent de véritables charivaris dans les rues de Paris lors de chaque procès. Le juriste Vincent Tagereau, qui semblait être spécialisé dans ce genre de procès, consigna cette scène incroyable du jour de l'épreuve :

> « *Cela faict, l'homme et la femme se couchent en plein jour en un lict, les experts présents demeurent en la chambre...* ».

Toutefois, si l'un des protagonistes réclamait plus d'intimité, on se tournait alors vers le juge qui souvent acceptait que les témoins « *se retirent en quelque garde-robe, l'huis entr'ouvert néanmoins...* ». Ils étaient tenus d'assister, de loin, aux ébats dont ils avaient à noter les moindres anomalies. Quant aux matrones, personnages-clefs dont dépendaient la virilité et l'honneur de l'accusé, elles demeuraient à côté du lit, suivant avec attention l'enchaînement correct des diverses phases de « *l'acte de génération* », vérifiant la réalité de l'intromission, et au besoin, appelant les médecins pour constater que la défloration et l'arrosage de la fleur de Vénus avaient bien eu lieu pendant l'épreuve.

Il serait naïf de croire que les conjoints, qui se haïssaient, acceptaient sans problème d'accomplir intégralement, au vu et su de tous, leur devoir conjugal. Disputes et querelles, pour ne pas dire coups de griffes et de dents, étaient d'ailleurs fréquents au moment où chacun devait déployer le meilleur de lui-même pour prouver son ardeur.

> « *... Souvent adviennent des disputes ou altercations ridicules, l'homme se plaignant que sa partie ne le veut laisser faire et empesche l'intromission ; elle le niant et disant qu'il veut y mettre le doigt et la dilater et ouvrir par ce moyen...* »

Voilà ce que précise un procès-verbal soulignant les multiples désaccords, tricheries et signes de mauvaise volonté qui intervenaient fréquemment entre les conjoints. La tradition voulait que le mari saisisse de force sa « proie » et la pénètre.

En cas de difficultés ou d'obstacles, le mari pouvait obtenir un moment de répit allant de quelques minutes à quelques heures. En lui accordant cette faveur, le juge cherchait simplement à lui tendre une nouvelle perche. Une fois ce délai passé, le juge lui ordonnait de remettre l'ouvrage sur le métier. Si la nouvelle tentative s'avérait aussi désespérante, d'autres essais étaient alors accordés sous des jours plus propices à l'amour, mais on n'oubliait pas de lui chuchoter que « *c'est en forgeant que l'on devient forgeron* ».

Les historiens et les sociologues pensent aujourd'hui que cette démonstration dite « virile » apparaissait aux yeux de la société à prédominance mâle comme un mécanisme rituel d'inquisition et de répression pour exorciser le mal et pour venger en quelque sorte le fantasme de la puissance humiliée.

> « *Il faudrait qu'un homme fust merveilleusement résolu et mesme brutal s'il ne débandoit, au cas où il fust en état* »

faisait remarquer un témoin de ces ébats ordonnés, se demandant si un homme parfaitement viril pouvait, dans ce brouhaha, accomplir ses prouesses intimes. Au comble de la barbarie, lorsque la femme refusait toute cette mise en scène, ce qui était fréquent, le juge et les doctes membres chargés de l'expertise ordonnaient qu'on l'immobilise afin de permettre à l'accusé de s'épanouir en terrain libre :

> « *Et si nonobstant ses indignités et empeschements il passoit outre jusqu'à faire l'intromission, ne le pourroit si l'on ne tenoit les mains et les pieds de sa partie...* »

Néanmoins, un acte aussi héroïque ne satisfaisait pas toujours l'exigence des membres du congrès et en particulier des matrones pourtant « *dépourvues des heureuses vertus qui stimulent les aiguillons* ». Elles tenaient avant tout à mettre les points sur les i et procédaient immédiatement après à la vérification du « *mouillage* », pièce à conviction fondamentale de « *l'épreuve de l'éjaculation* ».

Au siècle des Lumières, la fréquence de ces mésententes d'alcôve occupait une place si importante dans la vie mondaine qu'elle inspira ces vers piquants à Boileau :

« *Jamais la biche en rut n'a pour fait d'impuissance*
traîné du fond des bois un Cerf à l'audience.
Et jamais juge, entre'eux ordonnant le congrès,
De ce burlesque mot n'a sali ses arrêts... »

(*Satire*, Livre VIII)

Paradoxalement, l'hostilité et les critiques des philosophes et des intellectuels ne ternirent nullement l'éclat des prouesses du « congrès ». Elles excitèrent, bien au contraire, le sadisme de la population qui était plus attirée par ces scandales que par les affaires d'État. La tournure de ces procès galvanisait périodiquement l'imaginaire collectif, à la grande joie des seigneurs, manants, pieux et vilains.

Il fallut attendre la Révolution et la « *Déclaration des droits de l'homme* », puis la loi instituant le divorce, en 1792, pour que ces exhibitions publiques cessent enfin. Le docteur P. Darmon s'interroge dans son admirable étude intitulée « Défaillances conjugales et droit canon dans les procédures de nullité du mariage pour impuissance sexuelle » : « *Combien de femmes en auront-elles, à cette date, profité pour briser les liens d'un mariage dont elles ne voulaient plus ?* ».

Personne en fait ne saurait le dire. Mais :

« *Une certitude demeure :*
l'histoire n'a pas gardé la trace d'un seul homme
sorti victorieux de l'épreuve du congrès
et de l'épreuve de l'érection ».

Telle est la leçon que l'auteur nous invite à méditer, ce qui explique peut-être pourquoi les hommes, conscients de leur splendeur et de leurs limites, ont de tout temps cherché à améliorer leurs performances sexuelles.

En fait, la législation sur le divorce resta longtemps lettre morte. Malgré leur ardeur révolutionnaire, les membres de l'Assemblée Constituante craignaient la subversion du sexe et ils étaient convaincus que le divorce ouvrirait la voie à la débauche effrénée des femmes, même celles de bonne famille, ce qui entraînerait inévitablement une anarchie sociale incontrôlable.

C'est alors que Napoléon, pourtant grand coureur de jupons devant l'Éternel, contrôla rapidement la frivolité en question, au grand soulagement de tous. Érigé en 1804, le Code civil remit dans l'ordre les femmes rebelles ou inassouvies qui osaient, par infidélité, aller chercher consolation ailleurs. Selon le code napoléonien, toute femme adultère était en effet passible d'une peine allant de trois mois à deux ans d'emprisonnement dans une maison de correction, que son époux soit viril ou impuissant.

Curieusement, le mari infidèle ne courait, lui, aucune sanction, à moins qu'il n'ait été assez stupide pour entretenir « *sa concubine dans la maison commune* ». Pourquoi y avait-il donc deux poids et deux mesures ? Selon la tradition, on croyait dur comme fer à l'époque que :

> « *L'infidélité de la femme suppose plus de corruption et a des effets plus dangereux* ».

L'article 324 du Code pénal déclarait d'ailleurs « excusable » le meurtre commis par le mari sur l'épouse et son complice s'il les surprenait en flagrant délit d'adultère dans le foyer conjugal alors que l'inverse méritait de lourdes sanctions. L'adultère du mari, admis par la société comme un comportement passager, capricieux et banal, sinon une pratique hygiénique, n'avait donc aucune conséquence aux yeux de la loi tandis que l'infidélité de la femme était considérée comme un crime détruisant la famille, affaiblissant l'autorité de l'homme et pervertissant les mœurs.

La religion, pour sa part, soutenait cette conception par des propos identiques. La femme ayant pactisé avec le Serpent était considérée comme une créature maudite à cause du péché originel qu'elle a provoqué. Plus incroyable encore, à cet échafaudage juridico-religieux, le discours médical allait même donner une caution « *scientifique* ». De par sa physiologie, la femme se voyait assignée une fonction naturelle et essentielle : faire des enfants..., c'est tout.

C'est dans ce contexte socio-culturel que le XIXe siècle mit en veilleuse les projets de loi sur le divorce dont l'application n'eut lieu qu'en 1884. Dans le respect de cette tradition, la femme n'avait guère d'autre carrière que le mariage. On l'y préparait d'ailleurs très tôt, au couvent comme au pensionnat. On l'éduquait et on la formait dans la perspective de ce bonheur et lorsqu'elle sortait, fraîche et pénétrée d'illusions, on la mariait.

Mais souvent, ce mariage tant rêvé n'était autre qu'un arrangement répondant aux intérêts des deux familles, pour ne pas dire une vente en bonne et due forme chez le notaire. Ce type de tractation, minutieusement comploté derrière le dos de la jeune fille était si scandaleux que George Sand le ridiculisa en ces termes : « *On l'a élevée comme une sainte pour la vendre comme une pouliche...* ».

Vers 1811, les préfets avaient des procédés plus pittoresques encore : ils faisaient dresser des listes portant chacune le nom des jeunes filles à marier, le montant de leur dot, leurs agréments, leurs difformités et l'éducation religieuse qu'elles avaient reçue... Il s'agissait en bref d'une sorte de catalogue que l'autorité mettait à la disposition des marieuses.

Vers seize ou dix-sept ans, la jeune fille était déjà destinée à l'homme de sa vie, qu'elle ne connaissait souvent pas. Qu'il lui plaise ou non, cela importait peu. Il arrivait même qu'il ait vingt ou trente ans de plus que sa belle. Assez fréquemment, il s'agissait d'hommes riches, parvenus et veufs, des partis de taille qu'adoraient traiter les marieuses et les notaires !

Au fil des années, ces maris « idéaux » et recherchés éprouvaient souvent le besoin de recevoir des conseils d'amis, mais surtout des traitements « *remontants* » pour améliorer leurs performances vieillissantes. Ceci explique aussi pourquoi le XIXe siècle, bien que pieux et moralisateur, fut peuplé de romans d'adultère dont les héroïnes, de Madame de Rénal à Émma Bovary en passant par Anna Karénine ou Lady Chatterley, firent rêver les femmes qui les lisaient en cachette.

« *Adultère* », ce mot magique souleva à la fois la passion et l'obsession au siècle de Stendhal, de Flaubert et de Balzac... Pour l'éviter, les hommes pensaient que le mieux était de renforcer leur virilité, d'où cette quête éperdue de substances aphrodisiaques pour lesquelles l'engouement n'a pas cessé depuis. Jamais le sexe fort ne rechercha autant de renforts pour rester brillant. Tout se passait comme si l'amour ne reposait plus que sur une base charnelle et que le fait d'avoir bien accompli son devoir, dans le sens viril du terme, représentait une sorte de garantie absolue contre l'infidélité.

Au fond, que restait-il à Madame de Rénal, l'héroïne du roman de Stendhal *Le rouge et le noir ?* La rêverie pour effacer la grisaille des jours et peut-être l'espoir de croiser un jour son prince charmant... Mais lorsqu'elle crut un instant l'avoir rencontré, le mot monstrueux d'adultère ne manqua pas de frapper son esprit :

> « *Tout à coup, l'affreuse parole : adultère, lui apparut. Tout ce que la plus vile débauche peut imprimer de dégoûtant...* »

En revanche, ces remords évangéliques disparurent dans l'univers passionnel de Flaubert :

> « *La sensualité collait comme une seconde peau au corps d'Émma qui riait de ne rien sentir ; tandis que le bout de sa langue, passant entre ses dents fines, léchait le fond du verre.* »

Pour tromper l'ennui, Madame Bovary s'exaltait :

« Ses convoitises, ses charmes, l'expérience du plaisir et ses illusions toujours jeunes comme font aux fleurs le fumier, la pluie, les vents et le soleil, l'avaient par gradation développée... »

Ce que la société de 1857 ne pardonna pas à Flaubert, c'est qu'Émma fût ivre d'un désir qu'elle savourait sans inquiétude et sans scrupule :

« Alors, elle se rappela les héroïnes des livres qu'elle avait lus, et la légion lyrique de ces femmes adultères se mit à chanter dans sa mémoire... »

En ce milieu de siècle « romantique », le petit livre jaune de Flaubert lui coûta une comparution en correctionnelle pour « atteinte aux bonnes mœurs et outrage à la morale publique ». C'est qu'Émma, en allant jusqu'au bout de sa logique pour simplement jouir, faisait peur. Bien différente de la Phèdre de Racine qui redoutait ses émois en se disant : « *Je verrai le témoin de ma flamme adultère...* », Émma choquait en symbolisant l'infidélité dans toute sa poésie et dans toute sa puissance.

Sans délicatesse ni hésitation, cette femme lascive, voluptueuse et provocante « *se déshabillait brutalement, arrachant le lacet mince de son corset qui sifflait autour de ses hanches comme une couleuvre qui glisse...* »

Pour nos prudes ancêtres c'était là une vision diabolique, une invitation téméraire et éhontée aux orgies de l'Enfer. La jouissance d'une femme, que nos électroencéphalogrammes analysent aujourd'hui sous le terme « d'orgasme » faisait soudain frissonner une société cultivant l'apparence, les bonnes manières et l'hypocrisie.

« *L'art cesse du moment qu'il est envahi par l'ordure* », telle fut la sanction des critiques littéraires qui déchaînèrent les foudres contre cette œuvre inadmissible. Émma personnifiait le mal sournois, omniprésent et indomptable face auquel les hommes n'arrivaient pas à la hauteur. Inconsciemment, ils se sentaient presque coupables, anxieux, blessés et menacés par une sorte de subversion intrinsèque. La peur de l'adultère devint peu à peu une hystérie collective, amplifiée, voire noircie, par les écrivains et les artistes. Alors s'installa une épidémie imaginaire, un véritable défi lancé à la mentalité puritaine de l'époque. On reprocha à Flaubert d'avoir offensé la religion en y mêlant la sensualité de son héroïne.

En fait, il n'y avait pas plus d'impuissants ni de maris trompés au XIXe siècle qu'aux siècles précédents. Mais l'obsession était là et pénétrait la conscience populaire. L'heure de la chasse aux sorcières sonna. Le célèbre tableau représentant le *Constat d'adultère*, exposé au Salon de 1885, témoigne de l'esprit du temps. Lui, en caleçon, est ligoté par deux sergents et fait face au mari bafoué. Elle, la pécheresse nue, est là cachant son visage sous les remontrances du commissaire qui les a surpris en flagrant délit.

On était alors convaincu que toute femme était une infidèle en puissance, que tout homme verrait irrémédiablement sa puissance décliner. Dans ce contexte, il importait donc, non pas de « *cultiver son jardin* » comme disait Voltaire, mais son sexe. La médecine s'en mêla et prit l'affaire en main. Elle créa même le mythe de l'andropause *, une fatalité qui terrorisa les hommes pendant des générations jusqu'à la naissance de la biologie moderne. C'est dans cette ambiance tragi-comique que Paul Valéry ironisait en disant :

> « *Si les hommes ne craignaient pas d'être volés, assassinés, cocufiés et opprimés, il n'y aurait point de morale, et pas de Dieu, ou un Dieu tout autre, et probablement plus pur, plus vraisemblable, plus profond...* »

---

* Andropause : *Terme qui définit l'ensemble des manifestations organiques et psychiques survenant chez l'homme entre 50 et 70 ans, par analogie avec « ménopause ».*

CHAPITRE I

SOUS LA FOLIE DU DIEU ÉROS

Magie et sortilèges au service du plaisir

Envoûtements, religion et médecine étaient si étroitement liés dans l'Antiquité qu'il n'est pas étonnant qu'ils aient été les premiers moyens employés pour la confection de produits destinés à prolonger le plaisir. Et ce d'autant plus que la puissance sexuelle revêtait chez les anciens une signification rituelle symbolisant à la fois la création et la perpétuation de la vie. Dans les temples d'Éros, d'Aphrodite ou de Dionysos, le culte de ces divinités de l'amour était célébré par des femmes dont la fonction consistait à assurer le double rôle de prêtresses et de prostituées sacrées.

Une épigramme retrouvée à Corinthe nous rapporte que leur corps devait être beau et parfait afin de porter le sceau de la déesse Aphrodite, protectrice des foyers, des récoltes et des troupeaux.

Lorsqu'au ve siècle avant notre ère, la flotte du roi perse Xerxès attaqua la Grèce, la population supplia les hiérodules, prostituées sacrées et esclaves du temple d'Aphrodite, de prier pour la patrie et pour le salut des Grecs. Leurs vœux furent effectivement exaucés puisque la coalition des villes grecques réussit à mettre en déroute les vaisseaux perses. En signe de reconnaissance, les Corinthiens placèrent dans le temple un ex-voto accompagné de la liste des prostituées, inspiratrices de la victoire. L'inscription qui rendit hommage à leur piété et à leur patriotisme mentionnait :

« Ces femmes ont été consacrées pour prier la divine Cypris, en faveur des Grecs et de leurs citoyens courageux au combat. Car la déesse Aphrodite n'a pas voulu que la citadelle des Grecs soit livrée aux archers perses. »

(Simonide)

Semblables aux prêtresses des sanctuaires de Babylone qui étaient consacrées aux divinités de la fertilité telles que Ishtar, Bélit, Baas ou Inanna, les servantes d'Aphrodite, en Grèce, recevaient périodiquement des groupes de pèlerins, trop heureux de mêler leur devoir religieux aux plaisirs. Mais les anciens n'ignoraient pas non plus la prostitution « laïque », bien au contraire.

De toutes les cités grecques, Corinthe passait pour être la ville la plus luxueuse de par son faste et ses lieux de débauche, qu'ils soient consacrés ou profanes. Le prix de ces rituels un peu spéciaux était si exorbitant que Strabon, géographe grec, le souligna avec humour dans sa *Géographie :*

« *Il n'est pas permis à n'importe qui d'aborder Corinthe...* »

Ce fut dans cette atmosphère dissolue que l'apôtre Paul dut, à plusieurs reprises, faire parvenir ses épîtres à la jeune Église de Corinthe pour la mettre en garde contre toutes les dépravations qui régnaient encore dans ce port au début de l'ère chrétienne.

Les premiers chrétiens à l'épreuve du sexe

Au début de l'ère chrétienne, si l'on en croit l'apôtre Paul, l'idée de chair n'était pas encore liée à l'activité sexuelle pécheresse. Elle ne désignait au fond qu'une relation propre à la nature humaine :

Roger-Viollet

Bain de phallus.
Vase antique, musée de Syracuse.

« Il est bon pour l'homme de s'abstenir de la femme, mais à cause de la fornication, que chaque homme ait sa femme et chaque femme son mari. Que le mari s'acquitte de son devoir envers sa femme et pareillement la femme envers son mari... »

(I Corinthiens 7)

Les Grecs convertis avaient sans doute parfaitement entendu ce message, mais ils ne semblaient pas avoir vraiment abandonné leurs vieilles habitudes, du moins pour ce qui concerne les novices à la foi encore chancelante, partagés entre les filles d'Aphrodite et la Bonne Nouvelle. Les premiers avertissements que saint Paul leur lança furent pourtant sévères. L'apôtre changea ensuite de ton et fit peser sur eux l'ombre de la sanction divine :

« Dieu, en envoyant son propre fils, avec une chair semblable à celle du péché et en vue du péché, a condamné le péché dans la chair... car le désir de la chair, c'est la mort... Car si vous vivez selon la chair, vous mourrez. »

(Romains 8 3-13)

Mais, comme il devint évident que même une simple limitation de la « passion amoureuse » s'avérait tout aussi problématique, l'apôtre leur ordonna de rester purs, ce qui était à ses yeux la seule façon d'éviter les tentations qui surgissaient de toutes parts :

« Je vous le dis, frères : le temps se fait court. Que désormais ceux qui ont femme vivent comme s'ils n'en avaient plus. »

(I Corinthiens 7-29)

Comme il devait être difficile pour ces premiers chrétiens de réconcilier la foi et la chair, surtout à l'ombre des temples d'Aphrodite ! Des trois problèmes fondamentaux qui se posaient à la jeune Église de Corinthe : la circoncision, l'abstention de manger du porc et la chasteté, seuls les deux premiers avaient rapidement reçu une solution satisfaisante. Le problème de l'éthique sexuelle resta en revanche longtemps insoluble, sinon indomptable, et ce en dépit de la condamnation générale et de la réglementation.

Le triomphe du christianisme chassa donc les prêtresses et les servantes des temples païens et la prostitution sacrée se laïcisa. Les filles d'Aphrodite passèrent dans l'ombre et devinrent celles de l'Enfer que Satan « offre à tous ».

Désormais, le péché de la chair étendrait son pouvoir sur la terre comme dans les Ténèbres. Symbole de cette conversion, le tympan de Moissac est orné d'une femme qui exhibe sa nudité pour envoûter les humains. Des serpents hideux lui mordent les seins et le sexe, elle leur sourit néanmoins avec une joie indicible... Adorable et ardente luxure ! Cette créature diabolique allait hanter pendant des siècles l'imaginaire érotique de l'Occident.

Étreintes au parfum d'ail

Les Grecs qui n'étaient pas encore convertis continuaient naturellement à mener leur petite vie désordonnée entre les tavernes et les temples d'Aphrodite. Quant aux Romains, ils se montrèrent encore plus friands de la liturgie voluptueuse des hiérodules et des bacchanales. Il faut dire que ces prêtresses les rendaient particulièrement dévots ! La tradition leur imposait d'ailleurs une fréquentation assidue des sanctuaires où les filles consacrées à la divinité étaient chargées de les purifier, et même de les rendre virils lorsqu'ils ne répondaient pas aux exigences de la déesse féconde.

La confection de philtres et de substances aphrodisiaques relevait aussi des compétences de ces prêtresses. Certaines d'entre elles, particulièrement inspirées par le dieu Éros qui est connu pour ses fantaisies redoutables, se révélaient fort habiles dans cet art. Parfois, l'efficacité de leurs philtres était si réputée qu'elles réussissaient à attirer une foule immense de pèlerins en mal d'amour venus des quatre coins de l'Empire.

Selon les croyances de ces femmes de l'art, l'ail devait être l'ingrédient de base de toutes leurs recettes secrètes. Ces gousses avaient en effet, selon elles, la réputation de rendre les femmes amoureuses et les hommes forts. Curieusement, cette croyance ancienne qui traversa, presque intacte, le Moyen Age, survit encore dans la Grèce actuelle. Elle fait partie de l'imposant héritage légué par l'Antiquité.

Parmi les innombrables produits qui entrent dans la composition des philtres mystérieux, l'ail est l'un des éléments ayant été le mieux identifié par les historiens. De la période classique à la période hellénistique (du Vᵉ au Iᵉʳ siècle avant notre ère), les documents archéologiques apportent la preuve que cette plante était constamment au cœur des pratiques de la magie amoureuse. On utilisait tantôt ses gousses, tantôt ses feuilles ou ses fleurs, tantôt le végétal tout entier. Celui-ci était arraché, lavé à l'eau et à l'huile puis noué suivant un rituel qui variait en fonction de la coutume de chaque région.

Mais qu'y a-t-il au juste dans cette plante pour qu'elle mérite sans conteste le titre honorable d'« *aphrodisiaque le plus ancien de l'humanité* » ? L'historien grec Hérodote qui voyagea en Égypte au Vᵉ siècle avant Jésus-Christ nous rapporte que l'ail était déjà un fortifiant de grande renommée aux yeux des prêtres-médecins du sanctuaire du dieu Horus, le Hibou sacré. Dans le papyrus d'Ébers, un livre médical égyptien vieux de 3 550 ans, plus de vingt affections sont également soignées par l'ail. Cette plante était non seulement consommée en grande quantité par les pharaons, mais aussi par les esclaves qui construisaient les pyramides. Des gousses d'ail fossilisées ont par ailleurs été retrouvées dans les nécropoles et l'on pense qu'elles servaient à parfumer le repos des âmes dans l'au-delà.

Les Grecs avaient probablement hérité cette thérapeutique des Égyptiens. Lors des jeux olympiques, leurs athlètes mangeaient énormément d'ail frais parce qu'il était censé renforcer leur musculature. Mais on s'en servait aussi pour expulser les vers intestinaux, soigner les morsures de serpent et neutraliser les piqûres d'insectes. En plus de ses vertus « aphrodisiaques », l'ail avait incontestablement une efficacité dans la lutte contre les parasites qui pullulaient sur les berges du Nil.

Les anciens attribuaient à cette plante encore bien d'autres vertus salutaires. On appliquait par exemple des cataplasmes confectionnés à base de gousses et de feuilles d'ail pilées sur les articulations douloureuses. Pendant des millénaires, la prévention, sinon le traitement du rhumatisme consista à consommer régulièrement de l'ail cru ou conservé dans du vinaigre. Plus étrange encore, Égyptiens, Grecs et Romains utilisaient empiriquement le jus d'ail comme remède contre toutes sortes d'infections. Ils ignoraient pourtant l'existence de l'allicine, un alcaloïde contenu dans la gousse et doté de propriétés antiseptiques remarquables.

Aujourd'hui encore, la médecine populaire du Midi de la France utilise « le vin ou le vinaigre des quatre voleurs » pour traiter les infections intestinales. L'expression provient d'une légende selon laquelle quatre condamnés qui étaient chargés d'enterrer les morts de la ville de Marseille, décimée par la peste en 1721, échappèrent à la mort en buvant du vin dans lequel ils avaient fait macérer des gousses d'ail.

D'un point de vue botanique, nous savons aujourd'hui que l'ail appartient à la grande famille des lys (les liliacées). Le mot « ail » dérive du celte « *all* » qui signifie « piquant ». Les Grecs qui n'aimaient guère son odeur le désignaient sous le nom de « *rose puante* » et il était même interdit aux fidèles qui en mangeaient d'entrer dans le temple de Cybèle.

L'analyse biochimique moderne de l'ail a mis en évidence la présence d'éléments complexes dont les plus étudiés actuellement sont l'allicine, l'alliinase, l'allisine et le bisulfure d'allyle. La richesse en soufre de ce dernier composant explique pourquoi l'ail figurait jadis dans le traitement des rhumatismes, d'autant plus que son effet était majoré par l'action anti-inflammatoire des huiles essentielles.

Mais le plus intéressant revient aux vertus de l'allicine et de l'alliinase qui fluidifient le sang, provoquent la dilatation des vaisseaux et font baisser le taux du cholestérol et des graisses sanguines. C'est ce phénomène qui serait à l'origine de la renommée de l'ail auprès des magiciennes et des sorcières pour qui il tenait une place primordiale dans les recettes de philtres. Il en est de même pour l'ail sauvage appelé « *ail d'ours* ». Les médecins de l'Antiquité allaient jusqu'à dire que la façon la plus efficace d'arrêter une crise d'hystérie chez la femme consistait à lui faire respirer l'odeur de l'ail. Ce remède, pour le moins simple et original, permettait selon Hippocrate, de « *calmer les convulsions de la matrice* ».

L'ail aurait donc une double action, à la fois centrale et périphérique sur le cerveau, par l'effet de ses molécules volatiles, et sur la verge, par la dilatation des artères que provoquent ses composants chimiques.

Expérimentalement, on a pu démontrer que les volailles élevées à l'ail pondaient mieux. Ce végétal renferme en effet une forte concentration de vitamines (A, B, C, PP...). Mais la stimulation des glandes sexuelles ne provient pas uniquement des vitamines, ces dernières agissent en synergie avec les autres alcaloïdes présents dans la gousse. Il existe d'autre part plusieurs familles de molécules composées d'une dizaine d'acides aminés. Il s'agit là d'hormones végétales qui se comportent tantôt en hormones mâles, tantôt en hormones femelles. L'odeur de l'ail a en revanche pour effet d'inhiber à distance la maturation des autres plantes. Les fruits mûrissent ainsi moins vite si l'on place des gousses d'ail dans leur voisinage.

Toutefois, nos connaissances sur ce végétal restent encore fragmentaires bien que l'ail nous fascine toujours, comme il envoûtait jadis les sorcières et les alchimistes en quête d'une jeunesse perdue.

Crimes rituels au nom d'Aphrodite

Les racines du figuier sauvage, les herbes malfaisantes, les testicules de volailles et de boucs, le lait de femme, les viscères d'animaux... tout cela entrait fréquemment dans la composition de philtres mystérieux. Les ouvrages écrits au début de notre ère par Pline l'Ancien, un naturaliste romain ayant voyagé en Gaule, et par Dioscoride, un médecin grec, sont truffés de ce genre de recettes merveilleuses, capables de rehausser l'éclat d'une verge en décrépitude.

Mais malheureusement, la folie du dieu Éros ne s'arrêta pas à la seule concoction de philtres. Prêtresses et magiciennes inspirées n'hésitèrent pas à pratiquer des sacrifices humains pour confectionner des potions aphrodisiaques avec le foie de leurs victimes ! Il n'était d'ailleurs pas rare de voir des ombres furtives se faufiler la nuit dans les nécropoles. Des sorcières y profanaient les tombes pour y voler des ossements, ingrédients qu'elles recherchaient pour leurs abominables mixtures.

Magie blanche et magie noire, incantations et superstitions, furent à l'origine intimement liées aux drogues de toutes sortes qui avaient pour but de prolonger le plaisir. Le comble de l'horreur nous fut rapporté par les auteurs classiques de l'Antiquité. Le poète romain Horace, dans son poème intitulé « *Cinquième Épode* », écrit au Ier siècle avant Jésus-Christ, nous raconte avec mille détails l'atrocité d'une cérémonie de sacrifice humain rendu nécessaire par la concoction d'un philtre :

> « *Lorsque d'une voix tremblante, l'enfant eut proféré ces plaintes, on lui arracha sa robe et sa bulle* [boule d'or que les garçons de naissance libre portaient au cou] *et son corps apparut si délicat que le cœur des Thraces impies en eût été attendri. Canidie* [la sorcière], *la tête dépeignée et les cheveux remplis de petits serpents donne l'ordre de prendre du figuier sauvage arraché aux tombeaux, du cyprès des cimetières, des œufs trempés dans le sang d'un crapaud hideux, puis de tout mettre à bouillir sur les flammes magiques. [...] Sans se laisser arrêter par le remords, Veïa* [une autre magicienne] *fouille la terre d'une dure bêche, peinant et soufflant : c'est une fosse qu'elle creuse, on y enterrera l'enfant, laissant la tête hors de terre... Il mourra lentement... Puis on recueillera sa moelle et son foie desséchés pour en faire une potion d'amour...* »

Cicéron, qui vivait à la veille de l'ère chrétienne, qui fut un grand défenseur de la justice, et dont les œuvres philosophiques et politiques sont restées nos classiques, confirme dans *Contre Vatinius* (6-14), que ce dernier n'était qu'un individu ignoble, assoiffé du sang de victimes immolées :

> « *Tu as l'habitude d'évoquer les âmes des enfers, d'apaiser les dieux mânes avec les entrailles des enfants...* »

S'agissait-il de la vérité, d'une calomnie ou de l'invention pure et simple d'un écrivain à l'imagination fertile ? Il est à craindre hélas que la Grèce, malgré sa brillante civilisation, n'ait pratiqué fréquemment l'infanticide.

Les archéologues ont d'ailleurs retrouvé une pièce à conviction de ces crimes odieux ; il s'agit d'une épitaphe portant une inscription qui prouve, sans équivoque, la réalité de cette barbarie :

> « *Jucundus, fils de Gryphus et de Vitalis. Je me dirigeais vers ma quatrième année, mais je suis sous terre, alors que je pouvais faire la joie de mon père et de ma mère. Une cruelle sorcière m'a ôté la vie... Elle, elle est encore sur terre et pratique toujours ses artifices dangereux. Vous, parents, gardez bien vos enfants, si vous ne voulez pas avoir le cœur transpercé de douleur.* »

Dans la littérature classique, *Iphigénie*, la célèbre tragédie de Racine en est une illustration. Ces crimes rituels ne furent d'ailleurs officiellement interdits qu'au IIe siècle, grâce à un décret de Rome émanant de l'Empereur Antonin. Celui-ci était en effet choqué par l'horreur et par l'ampleur des disparitions d'enfants.

Ces faits furent certainement à l'origine de la peur collective — inspirée par les magiciens, les alchimistes et les sorcières — qui alimenta les fantasmes de nos aïeux depuis le Moyen Age jusqu'à l'époque de l'Inquisition. L'avènement du christianisme parvint sans doute à adoucir les mœurs en supprimant ces pratiques odieuses, mais il ne réussit pas à vaincre le mythe de ces drogues, toujours vivace et profondément enraciné dans l'inconscient des hommes.

D'où venaient donc ces cruelles magiciennes, à la fois craintes et respectées, toujours prêtes à proposer leurs trop fameuses concoctions dès que le sexe se montrait chancelant ?

Les documents historiques indiquent que ces femmes diaboliques étaient originaires de Thessalie, une région montagneuse située au nord-est de la Grèce. C'était là que vivait la légendaire Médée, fille de la déesse lunaire Hécate, régnant avec sa sœur Circée sur l'ensemble des magiciennes. Selon Euripide, Médée connaissait tous les secrets des philtres. Pourtant, sa science ne lui permit pas de retenir le cœur de Jason, le courageux conquérant de la Toison d'or.

Selon la tradition grecque, les Thessaliennes passaient pour être expertes dans l'art des enchantements. Leurs incantations, leurs tours de magie et leurs potions aphrodisiaques étaient proposés sur l'agora, à Athènes comme à Rome, aux amateurs et dévots de la déesse Aphrodite.

> « *On renouvela la farce deux et trois fois, et plus souvent encore. Quand enfin, ils eurent complètement plumé ce malheureux amant et qu'ils l'eurent mis plus nu qu'un clou, je te laisse à penser dans quelle profonde misère ils le laissèrent.* »

C'est ainsi qu'ironisait Aristénète dans ses *Lettres d'Amour* (Ve siècle) au sujet de ce naïf qui croyait à la puissance des philtres et des sorcières.

CHAPITRE II

DE L'ABSTINENCE AUX ÉBATS D'ÉTUVE

Le combat pathétique entre la foi et la chair

Le paganisme gréco-romain considérait la sexualité comme une expression votive permettant de s'élever vers le surnaturel et dont la fonction consistait à assurer la fécondation des humains, des animaux et des végétaux. Que ces relations aient lieu avec une servante du temple, une épouse ou une concubine, elles visaient toujours le même but : accomplir des rites générateurs de richesse et de plaisir.

En revanche, une fois que les Grecs et les Romains devinrent chrétiens, les règles morales qui s'imposèrent à eux furent d'une toute autre conception. Les Pères de l'Église n'ignoraient certes pas que la dualité sexuelle fait partie de la nature de la Création puisqu'il est dit dans la Genèse que : « *Dieu créa l'homme à son image : homme et femme il les créa.* » (1-27).

Dès l'origine, la finalité de la sexualité fut donc d'emblée définie dans le Livre des livres :

« *Il n'est pas bon que l'homme soit seul.* » (Genèse 1-18). Ainsi, la sexualité exprima-t-elle cette fonction relationnelle de la personne humaine qui est de rencontrer et d'aimer sa partenaire. Et c'est ainsi que naquit l'idée d'unicité du couple où les époux enfin « *deviendront une seule chair* » (Genèse 1-25). Cet enseignement fut à nouveau confirmé par Jésus lui-même selon saint Mathieu (19-5).

Cependant, les théologiens se heurtèrent très tôt à l'extravagance persistante des mœurs de ceux qu'ils venaient d'évangéliser. A leurs yeux, cette sexualité omniprésente, invisible et indomptable, représentait à l'évidence une source de plaisirs, c'est-à-dire de désirs capables de pousser l'homme, fut-il chrétien, vers la démesure. Parallèlement, une conception dévalorisante de la femme, liée à l'impureté dont elle est frappée se fit jour avec la tradition biblique. Le mythe hébraïque du double sang en est un exemple : celui de l'homme, rouge, brave et généreux, s'oppose au sang noirâtre des menstrues de la femme dont les parties sont un siège d'écoulement cyclique et involontaire.

La tradition juive attribuait ainsi au sang féminin toutes sortes de maléfices d'origine diabolique. Selon Tertullien, un grand théologien du IIIe siècle, la femme n'était autre que « *la porte du diable* », médiatrice entre l'homme et le démon. On prétendait même, au Moyen Age, que les sorcières pactisaient avec Satan à l'occasion de leurs règles, et ce, afin d'acquérir un plus grand pouvoir d'envoûtement. On disait aussi qu'elles mélangeaient dans leurs philtres ce sang de l'Enfer qui rendait les hommes fous d'amour, même les impuissants !

Dès lors, il était prévisible que cette proximité de la femme et du démon, remontant à la chute originelle, s'étendît naturellement à la sexualité. En effet, le sang souillé, en imbibant le vagin, lieu de conjonction et de tendresse, transmettait inévitablement son impureté à l'homme lors de chaque acte sexuel, ce qui ne manquait pas d'entraîner la décadence du partenaire...

Les conséquences de cette symbolique se concrétisaient ainsi : il fallait éviter au maximum les rapports sexuels, même dans le cadre conjugal, et ne les justifier que par le désir de procréer. Or, les premiers chrétiens, après avoir abandonné la liturgie voluptueuse des temples païens, pensaient que le mariage chrétien était une institution sacrée dans laquelle les époux pouvaient s'aimer librement. Ils ne s'attendaient donc pas à ce que les relations sexuelles, n'ayant pour seule justification que la reproduction, soient ainsi limitées au strict minimum.

Selon la même tradition judaïque, l'Église demandait aux femmes qui venaient d'accoucher de se purifier avant de reprendre toute pratique religieuse. C'est ainsi que fut instituée la cérémonie des « relevailles », rite qui fut respecté depuis le Moyen Age jusqu'au Vatican II.

Pendant longtemps, la lutte fut donc âpre entre la foi et la chair. Il fallut attendre les grands penseurs, comme saint Augustin (Ve siècle) ou saint Thomas d'Aquin (XIIIe siècle), pour que l'idée de plaisir ait droit de cité dans le Royaume des Cieux.

Il n'est bien sûr pas facile de reconstituer l'histoire de ces âges sombres, surtout en matière de mœurs sexuelles, fort discrètes aux temps des cathédrales. Mais, par un heureux hasard, les historiens ont retrouvé les fameux livres « *pénitentiels* », sortes de catalogues de pénitences tarifiées selon la gravité des péchés commis. Ce document nous a ainsi permis de nous faire une idée de la frivolité de nos lointains ancêtres.

Néanmoins, l'existence d'une telle réglementation, si sévère soit-elle, ne nous autorise nullement à conclure que les hommes du Moyen Age vivaient dans la dépravation. Il semble plutôt que ce système ait servi de garde-fou en faisant figure d'avertissement solennel et en réveillant par là une foi quelque peu compromise par la tentation du sexe.

Sanctions d'alcôve

A l'époque médiévale, la vraie victime de la nouvelle éthique sexuelle ne fut pas la vie déréglée des païens encore fort nombreux, mais, de façon inattendue, le mariage chrétien. C'est lui qui porta en définitive la marque permanente du péché charnel. La notion de concupiscence, incontournable et obsédante, accompagnait comme une ombre tout acte de procréation. Ainsi, saint Jérôme, l'érudit qui avait traduit la Bible du grec au latin, fut aussi l'auteur de violentes attaques contre le mariage, pourtant célébré en tant que sacrement devant l'autel :

« *Adultère est aussi l'amoureux trop ardent de sa femme* »

prévenait-il dans *Adversus Jovinianum*. Comment comprendre ce paradoxe ? Voici comment saint Jérôme poursuit son raisonnement :

« *Avec la femme d'un autre, tout amour est coupable. Avec sa propre femme, l'amour exagéré l'est aussi. L'homme doit aimer sa femme par raison (judicio) et non par sentiment (affectu). Il doit dominer l'impétuosité de ses désirs afin de ne pas se précipiter ardemment vers l'union sexuelle.* »

(*Contre Jovinien* 49)

Il n'y a donc rien d'étonnant à ce que, dans ce contexte de refus du plaisir, la pudeur et les interdits aient engendré une série de mesures visant à restreindre « l'abus de mariage ». La réglementation de la sexualité fut progressivement mise en place. L'apogée de cette répression, poussée jusqu'à l'hystérie, fut atteinte par Burchard de Worms, un canoniste allemand du XIe siècle, expert en ébats d'alcôve. Dans son trop célèbre *Décret*, ce saint homme fit une classification des pénitences selon le degré de gravité de chaque acte licencieux. Dans l'ordre croissant, on rencontrait d'abord les époux fantaisistes et les couples impatients :

« *Avec ton épouse ou avec une autre, t'es-tu accouplé par derrière, à la manière des chiens ? Si tu l'as fait, tu feras pénitence dix jours au pain et à l'eau. T'es-tu uni à ton épouse au temps de ses règles ? Si tu l'as fait, tu feras pénitence dix jours...* »

La sanction de telles prouesses, qualifiées de « *péché véniel* », restait toutefois modérée car elle ne brisait ni l'amitié ni la compassion divines, ce qui était le cas du « *péché mortel* ». Mais il y avait plus grave encore :

« Si ta femme est entrée à l'église après l'accouchement, avant d'avoir été purifiée de son sang, elle fera pénitence autant de jours qu'elle aurait dû se tenir encore éloignée de l'église. Et si tu t'es accouplé avec elle ces jours-là, tu feras pénitence pendant vingt jours... »

La durée de la pénitence était doublée dans les cas suivants :

« Si tu t'es accouplé avec ton épouse après que l'enfant a remué dans l'utérus... Si tu t'es souillé avec ton épouse au Carême... Si c'est arrivé pendant que tu étais ivre... »

Mais ce n'était pas tout, le *Décret* rappelait aussi que :

« Tu dois conserver la chasteté vingt jours avant Noël, et tous les dimanches, et pendant tous les jeûnes fixés par la loi, et pour la nativité des apôtres... Si tu ne l'as pas conservée, tu feras quarante jours de pénitence... »

L'historien L. Flandrin qui a longuement analysé ce calendrier « contre nature » estimait que les couples ne disposaient finalement que de quatre-vingt-onze jours libres par an, auxquels il fallait encore retrancher les jours où la femme était indisposée. Il allait de soi que la façon d'exprimer la tendresse devait être étroitement surveillée. A tout moment en effet, les flammes de la passion pouvaient inspirer aux acteurs certaines improvisations immorales.

Pendant des siècles, on s'ingénia à définir la position idéale qui permettrait de procréer sans pécher. C'est la position dite « naturelle », d'après le traité *De Sancto matrimoni sacramento,* écrit en 1607 par le théologien jésuite Thomas Sanchez, qui s'avéra la plus acceptable :

« Il faut établir d'abord quelle est la manière naturelle de s'accoupler quant à la position. C'est que l'homme

soit couché dessus et la femme renversée dessous. Parce que cette manière est plus propre à l'effusion de la semence virile, à la réception dans le vase féminin et à sa rétention. »

En revanche, notre jésuite, fort savant en matière érotique, ne plaisantait pas avec la position « *rétro* » ou en termes canoniques : « *more caninas* », qui veut dire « *à la manière des chiens* ». Il la dénonça comme abaissant l'homme au rang d'animal : « *Puisque la nature prescrit ce mode aux bêtes, l'homme qui en prend le goût devient semblable à elles.* »

Mais n'exagérons pas, tout n'était pas aussi sombre et il existait quelques subtilités que notre expert savait très bien adapter en cas de besoins physiologiques. La position de « *mulier super virum* » (la femme sur l'homme) fut certes considérée comme honteuse et intolérable, mais notre jésuite éclairé admettait néanmoins qu'une telle position pouvait être utile lorsque la femme était enceinte ou lorsque le ventre d'un mari obèse gênait l'approchement à cause de son tablier de graisse :

« *Ce mode est absolument contraire à l'ordre de la nature puisque cela s'oppose à l'éjaculation de l'homme et à la réception dans le vase féminin. Ensuite, non seulement la position, mais la condition des personnes importe aussi. Il est en effet naturel pour l'homme d'agir, pour la femme de pâtir : et l'homme étant dessous, par le fait même de cette position, il subit, et la femme étant dessus agit ; et combien la nature elle-même abhorre cette mutation !* »

La même dialectique s'appliquait également au « *coïtus interruptus* », considéré en principe comme un crime grave qui pouvait coûter quinze ans de pénitence. Mais, là encore, on pouvait montrer plus d'indulgence :

« *On peut interrompre le coït légitime, même si cela entraîne une éjaculation extra vas, car on a plus de devoir envers sa propre vie qu'envers la vie potentielle d'un enfant à venir.* »

Mais les autres théologiens de son collège n'étaient pas d'accord, si bien que l'on poursuivit ces querelles pendant les siècles suivants.

Malgré des divergences, tout le monde admettait que le mal le plus populaire restait incontestablement la masturbation ou « *mollicies* » en jargon latin. Que cette masturbation soit pratiquée en solo ou avec l'aide d'une autre personne, elle était toujours considérée comme un mal abominable. De tout temps, ces « *pratiques plus ou moins solitaires* » terrorisèrent nos ancêtres et inspirèrent de nombreux traités, dont le plus monumental fut l'ouvrage intitulé *La Somme des péchés* de Benedicti (XVIe siècle). Celui-ci mit plus de vingt ans pour compiler, dans un recueil impressionnant, les mille et une manières de pratiquer cet acte :

> « *Les pollutions volontaires ne sont pas toujours manuelles. Elles peuvent provenir de cogitation et délectation, de locution et discussion avec un homme ou une femme, de lectures impudiques, etc.* »

La pensée vagabonde accompagnant l'acte ignoble constituait aussi un péché d'intention. Dans un appendice technique réservé aux confesseurs, le même Benedicti, érudit en masturbation, recommandait aux prêtres de bien faire préciser les circonstances :

> « *Si quelqu'un commet cet acte en pensant à une femme mariée, outre le péché de mollesse, c'est adultère ; s'il désire une vierge, c'est stupre (infamie), s'il désire sa parente, c'est inceste ; s'il désire une religieuse, c'est sacrilège ; s'il désire un homme, c'est sodomie...* »

Ce contrôle incroyable de la vie sexuelle était-il vraiment efficace ? N'était-ce pas ignorer le tempérament des enfants d'Astérix ? Nos lointains ancêtres devaient sûrement adorer faire l'amour et ne manquer aucune occasion d'en profiter, mais cela ne les empêchait point de prier avec ferveur. Néanmoins, un terrible sermon de l'évêque Césaire d'Arles (VIe siècle), menaçant son auditoire du haut de sa chaire, déclarait que les époux incontinents auraient des enfants « *lépreux ou épileptiques, ou peut-être même démoniaques...* ». Cela laissait tout de même penser qu'entre la pratique et la loi divine, le fossé était considérable. Et comme il fallait s'y attendre, à la sévérité de la contrainte, répondit une réaction des plus vives.

Rendez-vous à l'hostel des bons plaisirs

En 1254, lorsque le bon roi Saint Louis, ému par la débauche de ses sujets, ordonna d'expulser les prostituées de tous les bourgs de France, il rêvait, par ce décret, de faire régner la piété partout en son royaume. L'ordonnance royale de 1256 proclama ceci : « *Que toutes les folles femmes et ribaudes communes soient boutées et mises hors de toutes nos bonnes cités et villes...* »

Mais ce ne sont pas seulement les filles de joie qui furent frappées d'exclusion. Les Juifs, qu'ils fussent purs ou impurs et les lépreux étaient également visés par ce décret. Les premiers pour avoir crucifié le Christ, les seconds parce qu'ils portaient la marque indélébile du péché que leurs parents ou eux-mêmes avaient commis.

Mais comment pouvait-on distinguer les femmes honnêtes de celles qui ne l'étaient pas ? Cela fut rendu très simple. Tandis que les femmes pieuses affichaient leur coiffe et leur voile, on imposa aux filles de joie le port d'une aiguillette de couleur rouge. Cette comédie dura jusqu'en 1450, mais pour beaucoup de gens, le fait d'interdire aux femmes malhonnêtes de vivre dans la ville représentait plus d'inconvénients que d'avantages, n'était-ce que pour leur rendre visite. Pris de remords, on les réintégra au cœur de la cité, dans des

« maisons lupanardes » accessibles à toute heure du jour et de la nuit, sauf pendant la messe solennelle.

Certains de ces établissements étaient même groupés le long des « bonnes rues », formant un quartier distingué où l'on invitait des hôtes de marque à venir festoyer. De Paris jusqu'à la Provence, en passant par Dijon et l'Auvergne, tous les bourgs qui n'en possédaient pas se dépêchèrent d'édifier un « *hostel des bons plaisirs* » ou une « *maison de fillettes* ». Leur utilité publique se passait de commentaires. Les grandes villes, comme Lyon ou Marseille, s'honoraient en revanche de plusieurs « *châteaux-gaillards* ». Étuves et bains publics ne manquaient pas d'ouvrir leurs portes aux « femmes vénales ». Partout, bordels et « bordelages », publics ou privés, complétaient l'archipel du plaisir renaissant.

L'organisation de la prostitution obéissait à une structure hiérarchisée, conformément à la loi, et placée sous la direction d'une reine jouissant du rang envié de « rectrice ». C'était la maquerelle générale, connue et respectée par les notables, les bourgeois et les manants. Mais le peuple, qui ne manquait pas d'humour, préférait l'appeler « abbesse ».

Curieusement, les courtisanes, loin d'être déconsidérées, bénéficiaient au contraire d'un statut assez honorable. Elles participaient aux « bonnes sociétés », venaient chanter, jouer de la musique et s'ébattre au cœur même de la famille, à l'occasion des noces et des banquets, lesquels auraient paru dépourvus d'éclat sans leur agréable présence.

De la pureté dure et sévère à la jouissance ouverte, tolérée et conviviale, il s'était opéré un changement significatif des sensibilités. Que s'était-il donc passé en deux siècles pour que s'accomplisse un tel revirement ? En fait, chaque société avait modelé la sexualité à son image, ce qui explique que l'histoire des manières d'aimer subissait sans cesse des fluctuations plus ou moins accusées, au gré des courants de pensée et des mutations socioculturelles.

Déjà au XIIIe siècle, des philosophes avaient enseigné, dans le sillage de saint Thomas, que l'homme possède un corps et qu'il se devait d'écouter les injonctions de sa nature. Loin d'avoir la mémoire courte, ils se souvenaient aussi que saint Augustin, dans sa clairvoyance, avait même assigné au bordel, ce cloaque nécessaire, la noble mission d'éviter le désordre dans la cité. Dès lors s'opérait une réévaluation de la chair et parallèlement, une dévaluation de la continence. Ce rééquilibrage était d'autant plus tentant que la croyance au purgatoire se répandait comme une traînée de poudre. Avec l'agrément des hommes d'Église, on pouvait dorénavant jouir de la vie sans trop risquer les flammes de l'enfer.

Certes, les crimes de masturbation et de sodomie méritaient toujours leur lot de châtiments, mais on allégeait considérablement les peines de la « fornication simple » lorsque l'on choisissait de belles tentatrices, libres de tous liens. Dans ce cas, comme il n'y avait pas d'adultère aux yeux de la loi, la faute était seulement vénielle et donc pardonnable.

Malgré tout, la liberté accordée avait aussi ses limites car tout plaisir vénal devait être maîtrisé afin que le nouvel ordre établi ne soit pas remis en question. On exigeait donc une certaine discipline pendant les ébats des amants, fussent-ils au bordel. Les pensionnaires étaient ainsi parfaitement instruites et leurs gestes codifiés, afin de ne pas pousser la plaisanterie trop loin.

Et la rose d'écume donna la roséole

La législation précisait que les jeunes qui fréquentaient le « *prostibulum* » (la maison close) devaient avoir au moins seize ans. On disait à l'époque qu'ils s'y rendaient en bandes paillardes parce que « *nature les meust* » vers des plaisirs simples et sains. Selon la terminologie alors en usage, on disait qu'on y « *chevauche* » une ribaude, qu'on la « *roisse* », comme on rouit le chanvre, puis qu'on la « *laboure* » dans tous les sens... Théoriquement, « l'abbesse » était chargée de veiller au grain.

Inutile de dire que les bains et les étuves, lieux de rencontre avec ces femmes de charme, menaient inévitablement à toutes sortes de turpitudes. On devine aisément les péchés que couraient les baigneurs de tout âge qui caressaient ces ribaudes nageant allègrement entre leurs membres.

> « *Vous êtes encore en enfance et vous ne savez pas ce que vous ferez, mais je sais bien qu'à un moment quelconque, tôt ou tard, vous passerez au milieu de la flamme qui brûle tout, et vous vous baignerez dans la cuve où Vénus étuve les dames. Je le sais bien, vous sentirez le feu ! Ainsi, je vous conseille de vous préparer, avant d'aller vous y baigner... car il prend un bain périlleux, le jeune homme qui n'a personne pour l'instruire.* »

Tels étaient les avertissements adressés aux jeunes noceurs dans le *Roman de la Rose*. Au comble du raffinement, on proposait même des « bains thérapeutiques » aux clients d'un certain âge qui n'arrivaient plus à accomplir leurs exploits ! Un écriteau était placé devant chaque bassin et précisait les vertus fortifiantes des ingrédients présents dans l'eau. Les amants prenaient d'abord un repas spécialement mijoté dans ce but : « Bain sur le feu, chapon à la bouche »... cette viande avait en effet la réputation de ranimer les ardeurs :

> « *Quand il fut tout nu, il se dirigea vers la cuve ; devant nombre de pucelles, il y entra tout nu et son membre apparut, solide et épais.* »

Dans l'écume, la belle frictionnait son galant revigorifié avec un onguent et de l'huile parfumée, elle le massait ensuite dans le liquide salutaire qui était censé chasser la fatigue. Elle dosait ensuite l'eau chaude et l'eau froide pour réveiller la torpeur et renforcer les muscles... La tradition disait que « *si le corps était bien baigné et étuvé, la chair serait blanche et tendre* ».

Puis, ils s'ébattaient dans la vapeur étouffante, mangeaient et buvaient tout en regardant jongleurs, acrobates et dresseurs de chiens. S'ils le désiraient, ils pouvaient aussi se reposer sur un lit disposé tout près du bassin. Il leur suffisait de tirer le rideau pour ne pas être gênés par les voisins qui s'activaient selon leur inspiration.

Ces ébats collectifs et conviviaux, au vu et au su de tous, représentaient un certain savoir-vivre chez les gens bien éduqués. La politesse voulait même que l'on changeât de partenaire. Inutile de dire que les marchandes de philtres s'y faufilaient..., d'une étuve à l'autre, pour proposer au moment opportun leurs drogues miraculeuses. Le baigneur qui hésitait pouvait demander conseil à un ami, ou mieux encore à l'abbesse dont l'expérience en la matière était reconnue de tous. Il pouvait aussi choisir parmi une gamme impressionnante de substances aphrodisiaques, celle qui lui conviendrait, et bien sûr, en faire ensuite l'essai.

Festins, réjouissances, thérapies, érotisme... nos ancêtres ne manquaient ni de goût ni d'idées. Ils savaient parfaitement joindre l'utile à l'agréable. Détentes, assouplissements joyeux, remises en forme, tout cela finissait cependant par soulever de nouvelles inquiétudes. La prostitution s'étendait et devenait une institution publique exploitée par bon nombre de notables.

La vérole se répandait avec ses marques que sont les colliers de Vénus et les roséoles cutanées. Les épidémies de syphilis se propageaient d'une étuve à l'autre, d'une ville à l'autre. Malgré cela, les amusements se poursuivaient comme si de rien n'était. Les courtisanes étaient partout appréciées et demandées parce que ces femmes légères savaient : « faire l'amour », c'est-à-dire en parler avec art et délicatesse. Inconsciemment, elles préparaient la naissance prochaine de « l'amour courtois ». Pour le moment, elles raffinaient les pratiques érotiques et stimulaient l'épanouissement d'une poésie féminine amoureuse et sensuelle. Dans les rues, on ne savait bientôt plus les distinguer des femmes honnêtes car elles s'ingéniaient à brouiller les pistes.

Les moralistes intervinrent à nouveau et brandirent la menace de l'Antéchrist. Ils firent planer l'horreur du Déluge et évoquèrent le sort de Sodome et Gomorrhe. Les puristes allaient prendre l'affaire en main et fermer les lieux de débauche et de maladie. La prostitution, devenue marginale, passa dans la clandestinité. Elle proliféra dans l'ombre, avec ses femmes pécheresses, ses entremetteuses furtives, ses sorcières de Satan, ses philtres mystérieux passant de main en main, ses bonnes adresses communiquées de bouche à oreille et ses nuits de Sabbat aux orgies fantasmatiques... Ce réseau « sous-terrain » s'organisa autour de chaque ville, sinon de chaque quartier, avec la complicité de tout le monde et de personne.

Comment réprimer un réseau d'une telle ampleur où les moralistes eux-mêmes jouaient un double jeu ? C'est ainsi que commença la féroce chasse aux sorcières dont le « crime démoniaque » était avoué au prix de longs supplices et de châtiments publics, une forme d'exécution ritualisée servant à éduquer la population... Et pourtant, en dépit de la sévérité inouïe de la répression, le mal se développa encore davantage.

Bon an mal an, ce sont des milliers de sorcières et de magiciens qui furent brûlés en Europe pour avoir osé procurer un peu d'illusion et de défoulement à leurs semblables. Plus de deux millions d'entre eux moururent ainsi au bûcher. Même en plein siècle des Lumières, on continuait à jeter dans les flammes les faiseurs de philtres, les bougres (homosexuels) et les travestis, sans oublier les hérétiques. La chasse au Démon fut même considérée comme une science et enseignée dans toutes les universités. Le célèbre *Traité de Démonologie* de Jean Bodin, publié en 1580, proposait les tortures les plus raffinées pour arracher l'aveu des hôtes au baiser de Satan. Ce livre impitoyable fut même réédité une quinzaine de fois jusqu'au premier tiers du XVIIe siècle. À ce moment là, exilé en Hollande, Descartes élaborait son célèbre *Discours de la méthode* (1637).

Lauros-Giraudon

Pilier hermaïque ithyphallique.
Ile de Siphnos, vers 510 avant Jésus-Christ.
Musée national archéologique, Athènes.

Giraudon

Priape décapuchonné, Ier siècle avant Jésus-Christ.
Art gallo-romain, Rivery (France).
Musée de Picardie, Amiens.

Alinari-Giraudon

Fresque représentant Priape, vers 50-79 après Jésus-Christ.
Maison des Vettii, Pompéi.

Giraudon

Le Baiser.
Auguste Rodin (1840-1917).
Musée Rodin, Paris.

CHAPITRE III

LUMIÈRE
SUR LE SECRET DES SORCIÈRES

Loin de l'enchantement des philtres

Que savons-nous au juste de ces intrigantes potions du désir que confectionnaient jadis sorcières, magiciens et alchimistes ? Ne sont-elles que la trace d'un mythe vieux de 3 000 ans qui fut ensuite amplifié par une société médiévale obsédée par les démons et les messes noires ? A la frontière entre le fantasme, la frustration, la peur et l'empirisme, la longue histoire des aphrodisiaques représente pour les historiens et les ethno-botanistes un domaine de recherche passionnant dont l'enjeu est loin d'être négligeable. C'est pour cette raison qu'ils se sont efforcés de reconstituer les multiples pièces de cet immense puzzle en adoptant une approche pluridisciplinaire.

La littérature consacrée à ce sujet depuis des siècles représente une somme considérable de connaissances. Dans toutes les civilisations en effet, l'homme s'est toujours révolté contre la menace d'une défaillance pesant sur son sexe. Loin de la considérer comme une fatalité, il a, contre tout désespoir, inlassablement rêvé et œuvré dans le but de trouver un jour le remède miracle. Même chez les peuples les plus déshérités, l'effort déployé pour la prolongation du plaisir n'a jamais été inférieur à celui qu'exige la production de la nourriture.

Dans cette quête éperdue des drogues susceptibles de réveiller le désir, l'imagination et l'ingéniosité de l'homme se sont révélées à la fois débordantes et admirables. Elles ne se sont jamais éclipsées depuis, bien au contraire.

Ainsi, la recherche de l'amour et la création du désir sont-ils des thèmes phares de la production culturelle et artistique de notre civilisation.

C'est dans ce but que Faust accepta d'échanger son âme contre un philtre composé par le Diable en personne. Ce thème fut d'ailleurs abondamment exploité et notamment par Gounod, Goethe ou Berlioz... De son côté, la mère d'Iseult mit trois ans pour composer une mixture destinée au roi Marc et ce fut Tristan qui la partagea avec Iseult. Dans le *Crépuscule des Dieux*, Wagner eut encore recours au philtre pour rendre Siegfried amoureux de Gutrun...

Les recettes des sorcières du Moyen Age étaient-elles aussi efficaces ? A en juger par leur nombre et leur variété, on imagine qu'elles devaient être effectivement très demandées. Parmi les ingrédients que mentionnent les documents, beaucoup sont sûrement fantaisistes mais qu'importe ! Ces potions réussissaient à charmer le rêve et à embellir les ébats malgré une composition des plus rebutantes : viscères de crapauds, testicules de chats, cœurs d'agneaux, sang de pigeons, verges de verrats et de taureaux... Voilà ce que devaient ingurgiter jadis, les amateurs d'aphrodisiaques. Les philtres les plus coûteux et les plus recherchés étaient d'ailleurs vantés comme des remèdes absolus parce qu'ils contenaient des poudres de momies d'Égypte ! La liste des substances mystérieuses qui ont tant fasciné l'imaginaire de nos ancêtres est bien longue.

Nous connaissons bien quelques-unes des substances végétales qui entraient régulièrement dans la composition de ces potions de volupté, mais le sujet, il faut l'avouer, n'intéressait personne et n'était pas considéré comme étant très sérieux. Aucun livre scientifique digne de ce qualificatif n'y fut d'ailleurs consacré. Pourtant, l'analyse récente de ces plantes a non seulement permis de retracer leur épopée exaltante ;

mais encore, et de façon inattendue, de leur découvrir des vertus insoupçonnées, lesquelles se sont révélées fort utiles dans d'autres domaines de la médecine.

C'est ainsi que la quête du plaisir ouvrit par hasard de nouveaux horizons à l'humanité. Elle a fini par modeler une conception de vie différente et par créer une façon de penser hors du commun.

Quand le sperme du pendu enfanta la mandragore

Depuis la plus haute Antiquité, la silhouette anthropomorphe de la racine de la mandragore a inspiré les interprétations les plus délirantes. Ce tubercule se présente en effet sous le vague aspect d'une petite poupée noirâtre, rugueuse et velue, avec quatre prolongements qui ressemblent, à s'y méprendre, aux quatre membres d'un être humain. C'est pourquoi, les Germains l'appelaient et l'appellent encore « *Erdmännchen* », « le petit bonhomme de la terre ». Parfois, une excroissance judicieusement localisée sur cette racine évoque étrangement l'existence d'un pénis.

Les vertus de la mandragore sont connues depuis si longtemps qu'elle est déjà mentionnée dans la Bible. Rachel, inquiète de ne pas pouvoir rapidement donner un descendant à son époux Jacob, consomme cette racine providentielle. Obéit-elle à la prescription d'une guérisseuse ou d'une sorcière ? Ce fut en fait, sa sœur Léa qui lui donna ce secret. Toujours est-il que peu de temps après naquit Joseph, par la grâce de ce traitement miracle qui semblait assez populaire. Cet événement conféra à cette racine l'aura immortelle de la « pomme d'amour ». D'ailleurs, le *Cantique des Cantiques* ne tarit pas d'éloges à l'égard des merveilles que procure ce tubercule dont la senteur seule suffit à réveiller le désir.

Une légende raconte que vers minuit ce « bébé végétal » pousse des gémissements sous la terre et que ses miaulements permettent de repérer l'endroit où il se cache. Le chasseur de mandragore, pour la trouver, devait se laisser guider par le flair d'un chien noir. Mais pour cueillir la plante, il fallait procéder selon un rituel précis en se bouchant soigneusement les oreilles et en tournant la face vers l'ouest pour ne pas entendre les cris de douleur de la plante lorsqu'elle est déracinée. Celui qui avait omis ces précautions était tourmenté chaque nuit par des pleurs qui finissaient par le rendre fou !

Une fois la racine mise à nu, il était interdit de la toucher. On l'enveloppait dans un drap mortuaire et on l'attachait à un chien noir. L'animal mourait empoisonné, à la place du chasseur. Ces conseils de sécurité avaient déjà été codifiés par le philosophe Théophraste, élève d'Aristote. La légende veut aussi que ce soit à partir du sperme d'un pendu que la terre ait enfanté ce « petit homme planté ». La superstition prétend en effet que toute pendaison engendre des secousses d'orgasme. La semence du malheureux, en tombant goutte à goutte, aurait ainsi fécondé la matrice de la terre. Les hommes qui séparaient la mandragore de sa mère l'extirpaient en fait, comme par un accouchement forcé.

On dit aussi que la mandragore gigote et hurle quand on vient de la déterrer. Cette mandragore « animée » est capable d'attirer la fortune et l'amour. Curieusement, cette origine surnaturelle, voire divine, de la plante fut même admise par sainte Hildegarde, abbesse bénédictine du XIIe siècle. Son traité de médecine fut longtemps le livre de chevet des médecins du Moyen Age :

> « *La mandragore , de forme humaine, est constituée de la terre dont fut pétri le premier homme, d'où elle est plus exposée que toutes les autres plantes aux tentations du Démon.* »

De là proviendrait peut-être aussi cette croyance selon laquelle l'homme n'était au début qu'une mandragore monstrueuse qui fut ensuite animée par le souffle du Très Haut.

Étant investie de vertus magiques, il n'est pas étonnant que la mandragore ait été de tout temps maniée comme un talisman. Il suffisait de prononcer le nom de la personne à ensorceler tout en piquant un endroit précis du tubercule pour

Roger-Viollet

Manière de cueillir la mandragore.
Gravure sur bois, 1560.

voir l'organe correspondant souffrir ou se revigorer. Tout dépendait bien sûr des incantations enchanteresses que la sorcière récitait.

Mais celle-ci savait aussi se servir du jus de la mandragore pour calmer la douleur. Dès l'Antiquité, les prêtres-médecins d'Égypte, tout comme Hippocrate, exploitaient déjà les vertus calmantes de la mandragore. Sur un bas-relief égyptien d'Échet-Aton datant du premier millénaire avant notre ère figure une reine offrant au pharaon un plant de mandragore.

Cette racine entrait également dans la préparation de la fameuse thériaque que Galien donnait à ceux qui avaient des maux de tête. L'Empereur Marc-Aurèle, qui souffrait fréquemment de migraines et d'insomnies, en prenait chaque soir un morceau « *gros comme une fève d'Égypte* ». Dioscoride, à la fois médecin et chirurgien des armées de l'Empereur Néron, considérait cette racine comme le meilleur remède permettant de supprimer la douleur pendant l'opération. Une estampe du VIIe siècle nous présente ce grand chirurgien recevant une mandragore de la main d'Aphrodite. La déesse lui donnait-elle un anesthésique ou un aphrodisiaque ?

La mandragore étant une drogue de haute toxicité, on pense que les médecins de l'Antiquité et les sorcières du Moyen Age ajoutaient, lorsqu'ils l'utilisaient, certaines substances ayant pour effet de modérer les réactions foudroyantes qu'elle provoquait.

Les milliers de recettes de philtres que l'on a retrouvées nous indiquent que ce tubercule était soit bouilli, soit laissé en décomposition pendant soixante jours. On pense que ce procédé permettait de détruire une bonne partie des poisons. On en administrait ensuite de minuscules fragments, ou bien on préparait des infusions de feuilles et de fruits, tout aussi réputées. L'aura incomparable de la mandragore fit même naître une foule de faussaires qui sculptèrent certaines racines et les « habillèrent » en mandragores, avec bien entendu leur sexe nettement ciselé, puisque seul ce dernier conférait à la plante sa véritable valeur dans le traitement de la défaillance sexuelle. Beaucoup de ces faussaires, une fois découverts et condamnés, périrent pendus...

Au XVe siècle, parmi tous les motifs d'accusation dont fut victime Jeanne d'Arc, l'un d'eux, le plus grave, était d'avoir attaché à sa cuisse gauche une racine de mandragore dont on disait qu'elle servait à ensorceler les soldats anglais. Cette découverte fortuite aurait été effectuée, selon le procès-verbal établi par les Anglais, au cours d'un examen de contrôle visant à savoir si la Pucelle était vraiment vierge comme on le prétendait.

Pendant des millénaires, sorcières et magiciennes firent payer à prix d'or cette racine magique. Mais paradoxalement, ce n'est pas son efficacité qui comptait, mais sa forme humaine. Plus ce tubercule ressemblait à un homme, plus il valait cher, et ce, indépendamment de ses vertus aphrodisiaques ! On le jugeait donc d'après son apparence, et non selon ses effets.

Les sorcières proposaient également des cataplasmes et des onguents à base de mandragore. Ceux-ci étaient censés faire dresser l'organe soumis à ce traitement externe. Ces procédés étaient moins dangereux que les philtres et tout aussi efficaces car les alcaloïdes du tubercule étaient rapidement absorbés par la peau. Souvent, la verge ne résistait guère à ce genre de sollicitation et réagissait avec une étonnante promptitude, étant donné la finesse et la sensibilité de la peau à cet égard.

Néanmoins, on n'ignorait pas non plus la redoutable toxicité de cette drogue. Lors de la deuxième Guerre Punique (IIe siècle avant Jésus-Christ), le général Hannibal qui était placé à la tête de l'armée de Carthage s'empara d'abord des colonies de Rome en Afrique avant de se lancer sur l'Espagne. Au cours d'un siège particulièrement difficile, il feignit d'abandonner son camp, laissant à l'ennemi des amphores de vin aux racines de mandragore. C'est grâce à ce stratagème qui permit d'empoisonner les soldats adverses que les Carthaginois purent triompher.

D'un point de vue scientifique, le premier qui s'intéressa à l'étude objective de cette plante fut le botaniste anglais Gérard. Dans la nature, on rencontre en fait six espèces de mandragores dont l'aire de peuplement s'étend du bassin méditerranéen jusqu'aux hauts plateaux de l'Himalaya. Elles appartiennent toutes à la grande famille des solanacées, au même titre que la pomme de terre et la tomate. Cette dernière jouissait d'ailleurs aussi de la réputation de « pomme d'amour ».

Mais l'homme a toujours été fasciné par la *mandragora officinalis*, la seule variété qui lui parut intéressante. La qualification éloquente d'« *officinalis* » ne justifie-t-elle pas le fait qu'elle ait pendant longtemps reçu les faveurs des apothicaires ?

Il s'agit là d'une plante naine aux feuilles allongées, formant une rosette au ras du sol. Ses fleurs à cinq pétales s'ouvrent en forme de clochettes banches ou mauves. Elles donnent des baies charnues, rouges ou jaunes, qui renferment de multiples substances vénéneuses.

L'analyse phytochimique de la mandragore nous a récemment révélé le fait que cette racine diabolique est gorgée d'alcaloïdes extrêmement actifs, dont la hyoscyamine, la scopolamine, l'atropine et la mandragorine... Cette dernière constitue en soi un mélange de glucosides qui sont des sucres complexes à plusieurs principes actifs. Chacune de ces substances, au goût très amer, a actuellement sa place dans des applications médicales allant de l'antispasmodique à la prémédication anesthésique et de l'asthme aux troubles nerveux.

La mandragorine à 10 % entre dans la composition de certaines pommades indiquées dans le traitement externe du rhumatisme. On n'en frictionne donc plus la verge comme le faisaient nos ancêtres, mais l'articulation souffrante.

Quant à ses traditionnelles vertus « aphrodisiaques », elles proviennent simplement de l'action de ses alcaloïdes sur le système nerveux. Ils paralysent temporairement les nerfs parasympathiques et envoûtent par leur effet hallucinogène. Un spasme veineux se produit alors et prolonge la durée de l'érection. Mais encore faut-il que la verge se montre coopérante !

Bien que cet archétype reste toujours vivace, personne de nos jours ne croit plus à la promesse de jouvence de ce tubercule. Jean de La Fontaine, notre grand fabuliste, connaisseur en amour comme en zoologie, resta pourtant fidèle à cette plante extraordinaire. Inquiet de voir décliner sa vigueur jour après jour et résolu à ne plus décevoir ses jeunes maîtresses, il se rendit chez un sorcier que l'on disait fort savant en philtres.

Le remède qu'il y trouva dépassa de loin ses espérances, et c'est ainsi qu'il nous conta cette cure enchanteresse :

> « *Je l'allai voir : il m'apprit cent secrets,*
> *Entre autres un pour avoir géniture...*
> *Cette recette est une médecine*
> *Faite du jus de certaine racine*
> *Ayant pour nom mandragore.* »
>
> (*Contes III*)

Aujourd'hui dépoétisé par la science, ce coquin de « petit bonhomme planté » n'a pourtant pas dit son dernier mot. Un jour de 1982, l'équipe de N.J. Vogelzang, du département d'oncologie* de l'Université du Minnesota, en isola une substance inconnue, l'étoposide. Celle-ci s'est révélée d'une remarquable utilité pour lutter contre les cellules malignes de certains cancers du poumon et du sang (maladie de Hodgkin). Des essais chez l'animal furent aussitôt entrepris. D'autres chercheurs obtinrent également des résultats positifs lors de premiers essais cliniques réalisés sous l'égide de l'Organisation Européenne pour la Recherche sur le Traitement du Cancer (OERTC). La toxicité de ce médicament n'est certes pas nulle mais il a pourtant enrichi de façon étonnante notre arsenal thérapeutique pour la lutte contre la maladie.

Une fois de plus, c'est finalement la science qui bénéficia de cette longue quête du « philtre enchanteur » entreprise par l'humanité, depuis la nuit des temps. Du chaudron des sorcières à l'éprouvette des chimistes, le rêve féconda une foule d'idées qui apportèrent à chaque génération leur modeste contribution aux éternelles interrogations des hommes.

---

* Oncologie : *Étude des tumeurs.*

Une herbe sacrée nommée verveine

D'où vient la verveine ? Son nom l'indique clairement : de la déesse de l'Amour. En effet, dans la mythologie romaine, cette plante passait pour être l'herbe préférée de Vénus car elle rallumait les ardeurs de la divinité dès qu'elles commençaient à s'éteindre. Il est curieux de constater que même Vénus n'était pas à l'abri des aléas du sexe ! Les fidèles de Vénus, connaissant son point faible, ornaient donc son temple de feuilles de verveine. Avec ces fleurs, on confectionnait aussi des couronnes servant à embellir la chevelure de la divinité dont les oracles ne s'accomplissaient que sous leur senteur. Par ce biais, la plante accéda au rang de *Veneris Vena* (« Veine de Vénus »), ce qui donna ensuite « verveine ». Elle symbolisait à la fois la passion, la fidélité et la paix. Ainsi, toute cessation des combats entre les armées adverses était signalée par l'envoi d'un messager portant un bouquet de verveine, chargé d'annoncer la trêve. Le fait de boire ensemble une tisane ou un vin de verveine signifiait encore la réconciliation.

Ainsi, n'était-il pas surprenant de voir les Romains en consommer de grandes quantités pendant leurs festivités. Ils les faisaient surtout macérer dans du vin, et ce mélange était censé prolonger la jouissance.

En Gaule, les druides considéraient aussi la verveine avec respect. Elle ornait leur robe de cérémonie et ses pétales parfumaient l'eau lustrale, les pierres de l'autel et celles du sanctuaire avant chaque sacrifice. Pratiquement aucun philtre d'amour ne se concoctait sans le concours précieux de cette plante.

A en juger par la composition des recettes de sorcellerie, on pense que la verveine servait aussi à atténuer la toxicité foudroyante de la mandragore. Les anciens n'ignoraient pas non plus les vertus médicinales de cette « herbe aux enchantements » par excellence, et encore moins ses qualités aphrodisiaques.

Mathiole, le grand commentateur des traités de Dioscoride, écrivit au XVIe siècle :

> « *Les magiciens perdent leur sens et entendement à l'endroit de cette herbe. Car ils disent que ceux qui s'en seraient frottés obtiendront tout ce qu'ils demanderont, ayant opinion que cette herbe guérit des fièvres et fait aimer la personne...* »

Pendant longtemps, nos ancêtres prescrivirent également la verveine contre l'épilepsie car ils pensaient que la personne qui en était atteinte était possédée par un dieu susceptible d'être calmé par sa plante préférée. Mêlée au miel, une décoction de verveine soignait la toux et les rages de dents. Porté au cou, un brin de verveine guérissait les « écrouelles », mot francique désignant les ganglions abcédés localisés au niveau du cou.

Bergers et pâtres en portaient également sur eux car l'odeur de cette plante éloignait les serpents et ses feuilles servaient à panser les plaies et les morsures. De même, les vignerons n'arrachaient jamais la verveine qui poussait à côté des ceps car elle favorisait la croissance des vignes et les protégeait des vers parasites.

Mais évidemment, ce sont surtout ses vertus aphrodisiaques qui furent les plus appréciées. A côté des philtres, vins, potions, infusions et teintures... tant vantés qui contenaient tous l'indispensable essence de cette verveine, il faut encore citer ces curieux colliers confectionnés à partir de pétales de fleurs. Les femmes qui portaient un tel bijou pendant les ébats étaient censées accroître ainsi la puissance de leur partenaire. Si l'artifice ne s'avérait pas suffisant, on pouvait encore recourir à de la sève extraite d'un plant frais. Par ce moyen, on obtenait un liquide blanchâtre et épais ressemblant étrangement au sperme. Les hommes qui l'essayaient en s'en appliquant sur les parties, prétendaient que cet enduit décuplait leur puissance...

Aujourd'hui encore, la tradition veut qu'un bouquet de verveine offert symbolise la joie et l'enchantement. Celui qui se frotte avec ses feuilles en faisant un vœu verra son souhait réalisé.

Jusqu'à l'époque de la Renaissance, on ne connaissait qu'une seule variété de verveine, celle de l'Ancien Monde, qui était exploitée depuis toujours et avait conquis, grâce à ses prodiges, son titre de noblesse : « la verveine officinale ». On ignorait qu'elle avait une sœur lointaine au Chili, haute et très odorante, à laquelle les botanistes donnèrent le nom de *Verbena triphyllia*, la verveine à trois feuilles, parce que ces dernières sont groupées par trois sur la tige. Ce n'est qu'au XVIIIe siècle qu'elle fut introduite sous nos climats sans grand succès d'ailleurs.

La verveine de chez nous ne dépasse guère soixante centimètres. Sa tige centrale, de forme quadrangulaire, présente des feuilles qui sont opposées deux par deux et découpées en lobes inégaux. Ses fleurs mauves, petites et peu parfumées, sont constituées de calices à cinq lobes et sont disposées en long épis. On la rencontre en lisière des forêts et des champs, sur des terrains sablonneux.

> « *Une maigre tige rigide, de médiocres feuilles, quelques rameaux grêles et raides, des fleurs petites et inodores, on la croirait un fil de fer.* »

C'est ainsi que la décrivait l'artiste Pierre Fournier qui fut chargé d'en réaliser la planche botanique. Il avait de la peine à imaginer que cette herbe aux allures dégingandées ait reçu tant de gloire de la part des hommes et des divinités.

Le premier alcaloïde connu, la verbénaline, fut isolé au début de notre siècle par le pharmacien français M. Bourdin. Cette molécule possède une action parasympathicomimétique qui explique son effet coup de pouce sur la verge. Elle dilate en effet le calibre des artères et fait gonfler l'organe. Il semble que cet heureux résultat soit aussi amplifié par la présence de tanins, d'hastatosides, de verbénalosides, d'essences de linalol et de verbénalol ainsi que par celle de molécules à effet hormonal. Une fois encouragée, l'irrigation locale ne manque pas de secouer le pénis et de redonner confiance à son possesseur.

Différente de la terrible mandragore, la verveine agit en douceur. Elle ne nuit pas aux ébats et ne provoque pas non plus d'effets secondaires, bien au contraire.

Quelques années après, la verbénine fut à son tour mise en évidence par le chimiste Kuwazima. Cette molécule de sucre complexe, un glucoside, initie la contraction des fibres musculaires lisses, ce qui explique pourquoi la médecine populaire conseilla de tout temps d'administrer des infusions ou du vin confectionné à partir de cette herbe aux femmes après l'accouchement. Cette thérapeutique visait à favoriser la contraction de l'utérus tout en hâtant la montée du lait. Cette herbe médicinale fut également utilisée jadis pour soigner l'absence de règles (aménorrhée), les règles douloureuses, irrégulières ou rares (dysménorrhée et oligoménorrhée).

Inexplicable est en revanche l'absence de tous ces alcaloïdes dans la verveine odorante provenant d'Amérique et d'Afrique. Et pourtant, ces deux sœurs appartiennent à la même famille des verbénacées. Mais, seule la petite verveine sauvage d'Europe présente les vertus requises, tandis que sa sœur lointaine, qui est un arbuste et non une herbe, exhale généreusement des senteurs générées par sa haute concentration en alcools terpéniques et en huiles essentielles (limonène, citral et caryophyllène).

C'est justement cette verveine odorante que l'on trouve dans le commerce sous forme de sachets. Ces tisanes ne peuvent évidemment que laisser Vénus indifférente. Ce n'est donc pas par hasard que la Déesse préféra la bonne et vieille verveine d'antan. On ne la trouve d'ailleurs que chez l'herboriste mais encore faut-il préciser bien sûr que l'on veut de la verveine officinale.

Selon une coutume millénaire, seules les infusions préparées avec les sommités fleuries de la verveine possèdent des principes actifs. Une poignée de fleurs permet d'obtenir trois tasses, après vingt minutes d'infusion. Il convient de les répartir en trois prises au cours de la journée, la dernière étant administrée après le repas du soir. Si l'on veut préparer une décoction, il faut utiliser deux poignées de fleurs sèches avec un litre d'eau que l'on doit faire bouillir pendant dix minutes. Mieux encore, les connaisseurs conseillent le vin de verveine, mais son élaboration exige pas mal de temps et de minutie. Mais la patience n'est-elle pas aussi une qualité essentielle pour bien faire l'amour ?

La cueillette de la verveine, sauvage ou cultivée, doit avoir lieu avant la floraison complète. On la coupe au ras de la racine, puis on la sèche à l'ombre en confectionnant des petits bouquets que l'on suspend dans une pièce aérée. Cette opération permet une oxydation lente des alcaloïdes et en rend certains encore plus actifs. Selon la formule traditionnelle, on fait ensuite macérer ces brins dans un bon bourgogne blanc pendant sept jours.

Pendant longtemps, ce vin a constitué le tonique intime de nos ancêtres, lesquels vantaient à qui mieux mieux les propriétés stimulantes de ce merveilleux breuvage. Dédiée à juste titre à Vénus et à l'Amour, la verveine n'a pas non plus déçu Alfred de Musset dans « Silvia » :

« *Je sommeillais seulement à demi,*
A côté d'un brin de verveine
Dont le parfum vivait à peine,
Et qu'en rêvant j'avais cueilli. »

Le céleri au secours de la verge

A l'état sauvage, le céleri pousse sur des sols marécageux riches en sels minéraux, voire sur des terrains salés. Cette plante dégage une odeur si désagréable que la mythologie romaine la dédia à Pluton, divinité de l'Enfer, dont la statue était ornée de ses feuilles. Celles-ci étaient également utilisées pour confectionner des couronnes mortuaires. Avant le combat, les gladiateurs en portaient sur leur poitrine et ce rituel consacrait leur bravoure et leur défi lancé à la mort.

Curieusement, les abeilles adorent aussi la senteur repoussante du céleri. Elles sont irrésistiblement attirées par ses fleurs verdâtres qui, visiblement, n'ont rien d'éblouissant. C'est pour cette raison que le céleri devint la fleur des abeilles et reçut ce nom de baptême : « *apium* », du latin « *apis* » signifiant « abeille ». Puis on l'appela « *ache* » ou « *éprault* », et il devint une plante rustique destinée à l'alimentation du bétail. Il avait en outre la réputation de conférer un bon arôme à la viande. Ce n'est qu'à partir du XVe siècle que l'homme réussit à le transformer en un légume délicieux, notre céleri.

À la suite de minutieux croisements opérés au fil des siècles, les jardiniers pensants réalisèrent la mutation génétique du céleri sauvage en céleri-rave puis en céleri à côtes, lesquels sont tous comestibles, croquants et parfumés. Ce miracle botanique s'est certainement produit en Italie du nord puisque le mot céleri nous vient du lombard « *seleri* » qui veut dire « prompt », probablement en raison de la rapidité de ses effets.

Étant l'herbe fétiche de Pluton, le céleri passait pour être, aux yeux des anciens, l'attribut d'Hécate, une divinité lunaire et infernale qui tourmentait le sommeil des hommes en leur envoyant fantômes et spectres. Elle leur apparaissait sous la forme d'une vieille femme, aux cheveux garnis de serpents et accompagnée d'une horde de chiens, car Hécate hantait la proximité de la demeure des morts. Pour l'apaiser et implorer son indulgence, on déposait sur son autel, lors des cérémonies de nouvelle lune, un talisman sculpté sur la racine fusiforme du céleri.

Déesse de la magie et patronne des sorcières, Hécate leur enseignait la maîtrise des prodiges. Nous savons que ses deux filles Circé et Médée régnaient sans partage sur le royaume enchanteur de la sorcellerie. Dès lors, il était normal que leur pouvoir se soit également étendu au domaine des philtres, ce qui explique que le céleri ait participé dès l'Antiquité aux sortilèges, en tant que complice de la mandragore.

Mais les anciens n'oubliaient pas non plus ses vertus médicinales. Homère dans *l'Iliade* mentionnait déjà qu'Achille guérissait ses chevaux malades en les nourrissant avec du céleri. De son côté, Hippocrate louait les effets calmants de ce légume en le conseillant à ses malades :

« *Pour les nerfs bouleversés, que le céleri soit votre aliment et votre remède* ».

Étant donné sa rusticité et son odeur à l'état sauvage, cette plante était peu appréciée, si ce n'est des sorcières qui exploitaient ses vertus aphrodisiaques. Seule sainte Hildegarde considérait le céleri sauvage comme un remède universel, ami de l'estomac, des reins et du sexe.

Ce fut surtout cette dernière qualité qui fit la gloire de ce légume pendant tout le Moyen Age. De plus, il rendait l'âme gaie et chassait la mélancolie, créant une ambiance indispensable aux ébats érotiques.

> « *Ache sauvage est appelée ache de ris pour ce qu'elle purge les humeurs mélancolieuses dont est engendrée tristesse...* »

lit-on dans un livre de médecine de nos ancêtres (P. des Cresences).

Mieux, la coutume voulait que le céleri fût un moyen infaillible pour avoir un garçon. On conçoit effectivement la signification de cette superstition dans une société où le sexe masculin pesait plus lourd que le sexe féminin. Il suffisait pour cela de placer cette plante sous le lit d'une femme enceinte, à son insu. Si le premier nom qu'elle prononçait était celui d'un homme, l'enfant qu'elle portait serait un garçon...

Cette croyance leur inspira sûrement pas mal d'ardeur et de persévérance, si l'on en juge par ce vieux proverbe médiéval : « *si l'homme savait l'effet du céleri, il en remplirait le coutil* ». Un autre révèle à la femme cette précieuse recette d'amour : « *Si femme savait ce que le céleri fait à l'homme, elle irait en chercher de Paris à Rome.* »

L'ache sauvage est une plante herbacée biannuelle de la famille des ombellifères. Elle est caractérisée par de petites fleurs groupées en ombelles et se trouve être le proche cousin de la carotte. Sa racine principale est charnue et possède une forme allongée tandis que des sillons longitudinaux sculptent sa tige, cylindrique et rougeâtre dans sa partie inférieure, anguleuse et verte dans sa partie supérieure.

Ses feuilles pétiolées comportent cinq segments dentelés. Toutes ces parties végétales renferment une sève très riche en vitamine E, une substance appréciée des glandes sexuelles et des cellules nerveuses. Elle soulage les troubles éjaculatoires en améliorant la production du sperme et la synergie des réseaux nerveux impliqués dans l'acte sexuel.

Le céleri contient en outre d'autres vitamines : A, C, B, P et acide folique ainsi que des sels minéraux et des oligo-éléments, ce qui explique que cette plante ait été de tout temps exploitée pour ses propriétés énergisantes et anti-anémiques. Nous savons aujourd'hui que ses huiles essentielles constituent un mélange complexe de silinène, de P-cymol, d'apigénol, d'humulène et de sédanolide. C'est ce dernier composant qui est justement responsable de l'odeur désagréable de l'ache sauvage. Sa teneur diminue, au contraire, dans le céleri cultivé, et, de façon inattendue, génère au contraire une senteur parfumée sous la baguette magique des apiosides et des lactones.

Tous ces alcaloïdes induisent la contraction musculaire. Sous leur sollicitation, les muscles du périnée tirent violemment sur les racines de la verge qui sont formées par la moitié postérieure du bulbe et des deux corps caverneux. L'ensemble est disposé en trident. Une fois gonflé de sang et soulevé par le tonus musculaire, le dispositif hisse l'organe au zénith. L'effet euphorisant qui en résulte est à l'origine de la réputation virilisante de cette plante.

Par ailleurs, cette stimulation agréable ne s'accompagne d'aucun effet indésirable. C'est à ce titre que le céleri mérite sans doute d'être considéré comme un « aphrodisiaque naturel ». De plus, en étudiant les effets supposés aphrodisiaques de cette plante, les chercheurs lui ont découvert d'autres vertus inattendues. Ses alcaloïdes sont en effet doués de propriétés anti-oxydantes. Ils fluidifient le sang, abaissent le niveau de cholestérol et aident nos artères à combattre le processus de vieillissement.

Faut-il en conséquence chercher à se procurer absolument l'ache des marais pour profiter au maximum de ses bienfaits ? Notre milieu écologique est, hélas, tellement altéré qu'on ne rencontre pratiquement plus cette plante à l'état naturel ! Ses rares survivantes risquent, en outre, de contenir une bonne dose d'insecticides ou de nitrates. Les céleris-raves et les céleris à côtes cultivés dans nos campagnes sont heureusement riches en substances médicinales et nutritives. Profitons-en donc pour rendre un instant hommage au génie de nos ancêtres qui ont su améliorer les qualités gustatives de ces légumes sans dégrader leur composition biologique.

Le céleri fut par ailleurs cité par le célèbre poète Apollinaire qui fut un jour fort étonné de trouver ses grands-parents occupés à labourer leurs champs de céleri avec des voisins. Ils riaient et plaisantaient, manifestant leur joie de vivre, leur enthousiasme et leur désir de goûter à tous les plaisirs de l'existence :

> « *Des vieillards mangeaient l'ache et immortels ne souffraient pas plus que les morts. Je me sentis libre, libre comme une fleur en sa raison.* »

Dieu créa l'amour et la moutarde

Dans sa bonté infinie, le Très-Haut mit à la disposition de l'homme trois variétés de moutardes dotées de vertus enchanteresses propres à réveiller sa sagesse et son cœur. Mais, craignant aussi tout débordement, il dota ces végétaux de molécules irritantes afin que l'homme n'abuse pas de son sexe...

Le Livre des livres ne cite-t-il pas à maintes reprises cette humble moutarde sous le nom de « sénevé » ?

> « *Le Royaume des Cieux est semblable à un grain de sénevé.* »
>
> (Matthieu 13-31)

Cette graine minuscule reçut même le suprême honneur d'être présentée, par Jésus lui-même, comme la promesse d'un avenir radieux :

> « *Un seul grain de sénevé, [...] la plus petite des semences, mais qui, lorsqu'il a été semé, monte... et pousse de grandes branches, en sorte que les oiseaux du ciel peuvent habiter sous son ombre.* »
>
> (Marc IV 40-32)

Dans la nature, cette plante herbacée ne dépasse guère soixante centimètres. Elle incarne pourtant l'espérance et la force spirituelle explosive. C'est pourquoi la moutarde était fort utilisée dans les préparations culinaires des anciens. Selon le philosophe grec Théophraste, cette plante fut cultivée autour d'Athènes, sur de larges étendues, dès le IVe siècle avant notre ère. Aux yeux des anciens en effet, le rôle joué par ce condiment était aussi prépondérant que celui accordé au vin.

Parmi les différentes espèces de moutardes, on distingue la moutarde blanche, la moutarde noire et la moutarde bâtarde (de couleur jaunâtre), provenant des Indes. Mais seule la première a le mérite d'être considérée comme officinale.

Avec ses petites fleurs à quatre pétales jaunes, groupées au sommet de sa tige, la moutarde appartient à la grande famille des cruciféracées, tout comme le chou, le cresson et les navets... Ses feuilles présentent des traits facilement identifiables. Celles qui se trouvent situées au plus bas portent des lobes parallèles, semblables aux barbes d'une plume, tandis que les feuilles supérieures sont petites avec des lobes partiellement unis. Le fruit de la moutarde, appelé silique, possède une enveloppe ligneuse composée de deux valves dont la silhouette rappelle celle d'un petit haricot. Une fois qu'elle est ouverte, les graines qui sont logées dans la valve inférieure apparaissent. Dès que les fruits sont mûrs et secs, on les récolte en coupant les grappes. Soumises au battage, les graines sont alors séparées.

La moutarde sauvage est assurément l'un des premiers végétaux que l'homme ait domestiqués, à l'époque où il commençait à exploiter les céréales, la vigne, les glands et les tubercules. Les archéologues ont en effet découvert des graines de moutarde dans plusieurs sépultures préhistoriques. Il semble qu'elles servaient déjà à relever le goût des aliments. Dans ce sens, leur présence prouve que nos lointains ancêtres se comportaient déjà comme de fins gourmets.

Dans la Grèce antique, à Rome comme aux Indes, on recommandait la moutarde blanche aux couples qui n'avaient pas encore d'enfant. Cet aromate était réputé pour exalter l'ardeur des personnes à tempérament froid mais il entrait également dans le traitement du rhumatisme, probablement en raison de sa haute teneur en soufre organique.

Mais c'est surtout au Moyen Age que la célébrité de la moutarde blanche atteignit son apogée. Elle figurait sur toutes les tables, et souvent sous la forme d'une pâte confectionnée avec des graines broyées et mélangées au verjus ou au moût de raisin. Elle prit donc le nom universel de « moût ardent » qui donna ensuite le mot « moutarde » au XIIe siècle. La mode de cet aphrodisiaque brûlant gagna bientôt l'Europe, et notamment l'Angleterre, l'Allemagne, l'Italie et l'Espagne.

Pratiquement tous les mets étaient assaisonnés *« d'ung prou de moustarde espissée »*. Il n'est donc pas excessif de dire que la moutarde donnait « force » au corps et à l'esprit de l'homme tout autant qu'à ses aliments. Consommée comme condiment et légume confit, administrée comme remède, voire comme cataplasme pour réchauffer la verge, cette plante connut partout des adeptes. Nos ancêtres supportaient allègrement ces supplices à la moutarde pour pouvoir tout simplement jouir. À regarder de près les recettes ahurissantes qu'ils nous ont laissées, ils devaient avoir non seulement un estomac solide, mais aussi un organe blindé !

Pourtant, ils ne semblaient pas ignorer la toxicité de la moutarde à haute dose puisqu'ils s'en méfiaient et la déconseillaient à ceux qui se plaignaient de douleurs gastriques, de troubles urinaires ou de pierres rénales.

Sorcières, maquerelles, marchandes de philtres, toutes ces vieilles femmes des « *Évangiles de quenouilles* », vantaient de bouche à oreille leurs recettes magiques qui promettaient la force en amour. On peut imaginer que dans la rue, les femmes les écoutaient avec émerveillement, car comme le précisait Eustache Deschamps :

« *Elles désirent les cités*
Les doux mots qu'on leur dit,
les fêtes, le marché et le théâtre,
Lieux de délices qui leur permettent de s'ébattre. »

Les hommes qui se plaignaient de leur décrépitude pouvaient se procurer en plus des mixtures de moutarde, des préparations à usage local. Dans ces cataplasmes, censés combattre la léthargie, sinon la paralysie de la verge, on incorporait une partie de farine de moutarde pour neuf parties de bouillie de lin. Par ce traitement, la moutarde ne « montait pas au nez », mais au sexe.

Pour ceux qui souhaitaient une action encore plus prompte, il suffisait de se frictionner délicatement le pénis à l'aide d'un mélange composé d'huile de moutarde, de romarin et de miel. Cette application visant à mettre la verge en feu devait avoir lieu juste avant l'épreuve. On peut noter la ténacité dont ils faisaient preuve pour améliorer la qualité de leur érection !

Par sa causticité, provoquée par la sinapine et l'acide sinapique qui sont riches en soufre, la moutarde agit, en usage externe, comme un aphrodisiaque irritant. Elle pique la peau, dilate les vaisseaux et intensifie la circulation locale.

Parallèlement, les autres alcaloïdes de la plante, la myrosine, l'allyle, le sulfocyanate et en particulier les sinigrosides (une variété d'hétérosides azotés combinant le sucre à d'autres substances), se comportent comme des excitants du système nerveux. C'est de là que viendrait peut-être l'expression « *s'amuser à la moutarde* » que citait George Sand.

Il est difficile de savoir si nos aînés étaient satisfaits de ce remède radical, mais s'ils consommaient de la moutarde en grande quantité. Ils restaient toutefois assez prudents face à un pansement aussi énergique. Seuls quelques téméraires ont essayé ce redoutable révulsif, mais ils ne nous ont laissé aucun commentaire sur cette cuisante leçon. Sans niaiserie aucune, et sachant parfaitement qu'il ne faut point « *se croire le premier moutardier du pape* », beaucoup préféraient recourir à d'autres produits dont la gamme avait de quoi impressionner les plus incrédules. On pouvait presque dire : à chacun son aphrodisiaque !

Ce diable de romarin

le mot romarin signifie en latin « rosée de mer » *(rhos marinum)*. Cet arbrisseau pousse sur le pourtour du bassin méditerranéen qui en constitue l'aire d'expansion naturelle. Alphonse Daudet nous le peint ainsi dans *Les Lettres de mon moulin :* « *Les petites collines grises que parfume le romarin...* ». Rien d'étonnant donc à ce que cet aromate ait de tout temps inspiré de charmantes légendes, liées à la culture de cette région.

A Rome, le romarin passait pour être un porte-bonheur. Ses brins décoraient la chambre nuptiale et étaient censés rendre les mariés éblouissants, et la couche féconde. Les embaumeurs égyptiens s'en servaient également dans leurs recettes de momification et des couronnes de cette plante parfumaient aussi l'intérieur des tombes et des sarcophages. On la brûlait comme un encens dans les temples, car sa senteur suave plaisait toujours aux dieux, aux mânes et aux humains. La tradition disait que le seul fait de la respirer suffisait à réveiller l'envie et à animer les ébats. Nos ancêtres ne manquaient point de sensibilité en la matière !

Dans les temples païens, les fidèles qui fréquentaient les servantes d'Aphrodite n'oubliaient jamais non plus d'offrir des bouquets de romarin à la déesse. Curieusement, non seulement le christianisme ne réussit pas à faire disparaître ce rituel licencieux, mais de plus, il l'honora en lui accordant d'autres symboles mythiques. Pendant longtemps en effet, les chrétiens associèrent cette plante au souvenir de la Vierge Marie parce qu'elle se serait reposée à l'ombre d'un buisson de romarin lors de la fuite en Égypte. Une autre légende raconte que la Vierge aurait étendu sur les rameaux de cet arbrisseau les langes de l'Enfant Jésus.

> « *Et à partir de ce jour-là, les fleurs du romarin avaient mérité la couleur du ciel. Ainsi s'épanouissaient-elles le jour de la Passion.* »

Toutefois, dans son immense gloire, le romarin sut rester modeste en se promettant de ne jamais dépasser en hauteur la taille de l'homme, et de ne pas vivre plus longtemps que l'âge du Christ, soit trente-trois ans. Bien entendu, ses multiples qualités médicinales lui ont permis de conquérir ses lettres de noblesse depuis belle lurette : le célébrissime « *Romarinus officinalis* ».

De nos jours, et selon une tradition encore vivante en Provence, le romarin protège les foyers et attire la bénédiction divine. Sa senteur possède également, ce qui n'est pas négligeable, le don d'éloigner les moustiques.

Une légende raconte que vers la fin du XIVe siècle, en la cité de Bude, du royaume de Hongrie, se trouvait une vieille reine qui souffrait terriblement de sa paralysie. Dans son palais, terrassée par les crises goutteuses de ses gros orteils qu'aucun remède ne parvenait à soulager, elle gémissait de douleur, chaque jour, dès le chant du coq.

Un jour, un ermite se présenta à la porte du palais et confia une potion mystérieuse à la garde en ordonnant de l'apporter à la reine. Selon la légende, la recette de cette liqueur miraculeuse aurait été révélée au saint homme par un ange... Les dames du palais s'empressèrent donc d'en frictionner les membres infirmes de la pauvre souveraine. On lui administra une dragme de ce remède (quatre grammes), une fois par semaine seulement.

Toujours est-il qu'au bout d'un an de ce traitement apparemment banal, la reine fut non seulement guérie mais elle retrouva aussi toute sa vigueur. Les bienfaits de cette liqueur furent si efficaces qu'elle rajeunit et devint si belle qu'un roi de Pologne lui demanda sa main. Elle avait alors soixante-douze printemps ! On dit que Donna Izabella, cette Reine de Hongrie, refusa toutefois ce mariage royal « *pour amour de notre Seigneur Jésus-Christ* » et consacra sa vie à soigner les malheureux dans les hospices.

Qu'y avait-il donc dans cette fameuse « eau de la Reine de Hongrie » dont rêvaient toutes les femmes ? Fut-elle élaborée par un ermite féru de botanique ou par un ange descendu du ciel pour s'occuper de cosmétique ? C'est bien du mot « cosmos » que dérive en effet le mot « cosmétique » !

Au cours des siècles, la recette de cette eau inégalée subit hélas mille remaniements de la part des faussaires qui ne manquaient point. Ce que nous savons de la main même de cette reine, c'est qu'il fallait prendre « *de l'esprit de vin distillé quatre fois, pour trente once, des fleurs de romarin vingt onces...* ».

La merveilleuse cure de Donna Izabella a peut-être « lancé » le romarin, mais cette plante n'était pas inconnue des médecins d'autrefois. Elle l'est encore moins, a fortiori, des biochimistes d'aujourd'hui. La science moderne a d'ailleurs retrouvé tous les composants de cette « rosée de mer », exploitée jadis par nos ancêtres dans le traitement de diverses affections. N'est-il pas émouvant que, par delà les siècles, nous puissions aujourd'hui leur prouver la justesse de leurs espoirs et leur dire tout simplement que leurs rêves n'étaient pas sans fondement. Les vertus du romarin sont en effet multiples.

Les acides ursoliques et oléanoliques qu'il contient encouragent par exemple la sécrétion biliaire. Ce fait explique leur usage traditionnel en tant que substances à la fois cholagogues* et cholérétiques*. De plus, ses pigments flavoniques

* Cholagogues : *Se dit des substances qui facilitent l'évacuation de la bile.*
* Cholérétiques : *Se dit des substances qui augmentent la sécrétion de la bile.*

et ses polyphénols (apigénine, genkwanine...) sont doués de vertus diurétiques. Ils calment aussi la migraine, résorbent les gonflements et activent la circulation des capillaires. Les anciens ignoraient tout cela bien sûr, mais empiriquement, ils recouraient à cette plante, et à bien d'autres encore, pour soulager certains de leurs ennuis de santé.

Nous avons découvert aussi que les lactones diterpéniques (dont le carnosol) dilataient le calibre des petites artères pendant que l'acide caféique élevait le débit sanguin qui irrigue la verge, lui conférant ainsi sa force et sa dignité. Le romarin renferme d'autre part une haute teneur en choline et en diosmétine, des molécules qui se comportent comme des toniques nerveux. Elles avivent la mémoire, affinent les sens et remontent le tonus musculaire. Les asthéniques se sentent ainsi stimulés, confiants, gais et imaginatifs. Toutes les conditions indispensables à l'ambiance érotique sont alors réunies. L'acide rosmarinique intervient également dans les émois, en tant que substance euphorisante. Par sa sauvagerie et sa liberté, le romarin sait plaire tout en amplifiant la force et la sensibilité.

Mais le plus étudié des alcaloïdes de cette plante reste la lutéoline. Cette molécule qui se présente comme une véritable hormone sexuelle fut abondamment prescrite par la médecine populaire, dans le but de régulariser les règles capricieuses, douloureuses ou absentes. A petite dose, la lutéoline excite le cerveau et induit même la décharge des autres hormones sexuelles de l'organisme, afin d'agir de concert, comme par enchantement. Le seul inconvénient du romarin est qu'il soit si pressé et indomptable !

Il agit souvent intensément en coups de fouet qui soulèvent des spasmes et contracturent les muscles. D'expérience, nos ancêtres le savaient, c'est pourquoi ils interdisaient aux femmes enceintes d'absorber cet aromate, par crainte de provoquer une fausse-couche. Mais à l'inverse, pour les sorcières qui n'étaient pas ignares en la matière, le romarin a toujours occupé, et pour cause, une place de premier choix dans la concoction de leurs mixtures abortives.

Satyrique sarriette

La découverte des plantes aromatiques et médicinales fut souvent liée à des légendes, voici celle de la sarriette.

Ce jour-là, dans le bois sacré du mont Olympe, le satyre Anos pleurait amèrement car sa nymphe bien-aimée, la belle Laura, se plaignait sans cesse de sa force déclinante. Autour de lui, les pans et les faunes pâlissaient à la vue de ce drame inconcevable. Avait-on jamais vu, de mémoire de centaure, un sexe de satyre aux abois ? Aussi lui suggéra-t-on de demander conseil auprès de Dionysos. Le dieu du vin n'était-il pas aussi maître en folies galantes ? Ce dernier lui montra alors « *l'herbe du bonheur* », une petite plante aromatique de la famille des labiées, à laquelle appartiennent également le thym, la sauge et la lavande... Toujours est-il qu'après avoir brouté cette plante, notre satyre, mi-homme mi-bouc, se mit à rajeunir et retrouva toute sa puissance.

C'est en souvenir des précieuses vertus qui revigorèrent le pauvre satyre que les botanistes nommèrent cette plante « *Satureia* », laquelle devint ensuite notre sarriette, symbole de virilité pour les divinités comme pour les humains. Il est d'ailleurs consolant de voir que ces premières ne sont plus à l'abri des caprices du sexe !

Selon la mythologie grecque, les anciens aimaient à imaginer Dionysos, le front orné de sarriette pour plaire aux nymphes et aux naïades, leur offrant sa coupe ensorcelante.

Cette plante diabolique inspirait il est vrai, la volupté et la tentation. Longtemps, il fut interdit aux moines et aux nonces de planter cette herbe de débauche dans leur jardin. Bien d'autres herbes comme le fenugrec, la berce ou la chelidoine, considérées comme ses complices, figuraient également sur cette liste noire.

Nos amis du Midi connaissent deux espèces de sarriette. La sarriette des montagnes, dont le petit nom provençal est « *pebre d'aï* » (poivre d'âne), adore les sols rocailleux, secs et ensoleillés. Ses tiges rouges portent des feuilles grises, effilées, et pendant l'été, des fleurs odorantes de couleur rose.

La résistance à la sécheresse de cette plante fait qu'on la rencontre souvent dans les garrigues arides où nos grands-mères aimaient la cueillir pour parfumer leurs viandes et leurs soupes de poissons. Sa sœur jumelle, la sarriette des jardins, encore surnommée « poivrette » ou « herbe de saint Julien », est tout aussi appréciée pour ses senteurs et ses vertus coquines.

Au Moyen Age, Albert le Grand, philosophe et naturaliste de grand renom, prescrivait déjà les infusions de sarriette contre l'interruption des règles chez la femme. Nous savons aujourd'hui que ses feuilles renferment une concentration élevée de pyrocatéchine, une hormone végétale capable de stimuler l'activité des glandes sexuelles.

Pour les hommes affaiblis, le traitement consistait à frotter leur colonne vertébrale avec une décoction de cette plante. Selon la conception des anciens, en effet, le crâne n'était rien d'autre qu'un réservoir de sperme et cette sève s'écoulait vers la verge, en descendant le long du canal rachidien. Le traitement appliqué visait donc à faciliter le passage du sperme grâce aux vertus de la sarriette. Mais les femmes froides pouvaient aussi bénéficier de ce remède sensationnel qui allumait les flammes de la passion et rendait la matrice féconde.

Dans le Midi, la tradition a toujours accordé à la sarriette de montagne *(satureia montana)* des vertus salutaires qui dateraient du temps de saint Julien. Nous ignorons malheureusement quasiment tout de la vie de ce saint homme, si ce n'est que selon la légende, il s'agissait d'un grand seigneur épris de charité envers ses prochains. Il aurait abandonné son château pour aller vivre dans la forêt où il aurait bâti, avec sa femme, un humble abri pour prier et soigner les lépreux.

La médecine de campagne attribuait à « l'herbe de saint Julien » la propriété de calmer les spasmes douloureux de la matrice, survenant pendant les périodes. Ce « remède de bonne femme » n'était absolument pas insensé. L'analyse phytochimique de cette herbe nous a en effet révélé que les feuilles de la sarriette se gorgent d'huiles essentielles dont la teneur, pour l'espèce sauvage, correspond approximativement à 2 % de son jus. Ces essences sont composées de 30 % de carvacrol, une molécule à effet enzymatique qui s'avère capable de hâter la maturation des molécules en hormones et en neurotransmetteurs. Ces deniers sont des molécules chimiques que nos réseaux nerveux utilisent dans leur conversation et dans la transmission de leurs messages électriques.

Dans l'organisme, nos enzymes, hormones et neuropeptides ne naissent d'ailleurs pas tels quels pour faire marcher l'usine de nos cellules. Ces molécules prennent naissance à partir d'une molécule mère appelée « précurseur » qui se scinde en plusieurs fragments. Ces composants évoluent à leur tour et aboutissent finalement à leur forme active.

Comme la nature est à la fois ingénieuse et économe, un même précurseur peut générer en même temps diverses hormones et enzymes. Tout se passe donc comme si un boulanger voulait confectionner à la fois du pain, des crêpes, des gâteaux et des beignets. La matière de base dont il a besoin reste toujours la farine. A partir de ce précurseur, il confectionnera tel ou tel aliment, selon son désir. Dans notre cas, c'est le principe actif (le carvacrol) de la sarriette qui orchestre comme un boulanger. Il modifie et convertit les différents fragments de la molécule « précurseur » en hormones, enzymes ou neurotransmetteurs, selon l'organe où il se trouve. Et c'est justement ce phénomène de la biologie moléculaire que nos ancêtres avaient empiriquement mis à profit.

Au niveau de la base du cerveau où se trouvent les centres de la coordination, tout comme dans les glandes surrénales et les glandes sexuelles (ovaires ou testicules), les alcaloïdes de la sarriette découpent la molécule « précurseur » et induisent la maturation des fragments en hormones sexuelles. Ce processus explique en partie les effets stimulants de cette plante sur les couches profondes du cerveau, là où naissent les pulsions sexuelles.

Mais il semble que le carvacrol soit assisté dans sa délicate mission, par des molécules de pyrocatéchine, de dipentène et de p-cymol qui se montrent toutes capables d'imiter ou d'amplifier l'action des hormones sexuelles. De longue date, le dipentène a d'ailleurs été considéré comme un remède efficace contre la chute des cheveux, et cela en raison de l'effet pseudo-hormonal qu'il exerce sur les récepteurs des cellules du cuir chevelu.

Aux yeux des anciens, seule la sarriette sauvage présentait des vertus aphrodisiaques. C'est pourquoi ils dédaignaient la sarriette des jardins *(satureia hortensis)* qui leur paraissait dépourvue d'effet. Or, il s'agissait d'un préjugé tout à fait injuste et sans fondement puisque la sarriette cultivée est aussi riche en alcaloïdes actifs. Il est même prudent de ne pas en abuser, car, à dose excessive, elle induit des réactions secondaires désagréables telles que des éruptions cutanées et des vomissements. Jadis, seule la tisane était conseillée, à raison de 1,5 g par tasse, deux fois par jour.

CHAPITRE IV

LES PROMESSES DU NOUVEAU MONDE

Les épices de l'extase

Les hommes ont été sensibles à l'enchantement que pouvaient leur procurer les parfums et les épices depuis l'aube de l'humanité. Condiments et aromates de toutes sortes étaient en effet réputés pour amplifier les sens, rétablir la vigueur et prolonger les plaisirs. Très tôt, dès que son palais eut goûté ce charme insoupçonné, l'homme rechercha donc à combler ses papilles par le chant suave des aromates, cette poésie sensuelle, à la fois inconnue et totale qui bouleversait ses sensations les plus intimes.

Comme les plantes aromatiques les plus précieuses provenaient souvent des régions tropicales, les posséder représentait pour nos aïeux une entreprise titanesque, coûteuse, voire périlleuse. C'est pourquoi les épices, véritables joyaux du monde végétal, furent depuis toujours l'objet d'un commerce intense, causant partout des intrigues, des pillages et des guerres sanglantes.

Afin de posséder ces denrées inestimables qui valaient leur poids d'or, nos ancêtres n'hésitèrent pas à sillonner les déserts, à traverser les forêts et à se lancer sur des mers lointaines où ils rêvaient de trouver des îles fleuries de girofliers, de muscadiers ou de poivriers... tous ces végétaux aux noms exotiques réjouissaient le sexe et les ébats. On croyait fermement à l'époque que le Jardin de l'Éden se situait de l'autre côté de l'océan. Mais ce que les hommes découvrirent au-delà de l'horizon dépassa largement leurs fantasmes. Les merveilles qu'ils rencontrèrent germèrent en eux, modelées par les multiples dimensions d'un monde nouveau. Le renversement des perspectives finit par générer une pensée autre, forgée par l'élan et l'épreuve.

Selon les conceptions des anciens, la limite entre drogues et condiments n'existait pas ce qui explique que les épices étaient considérées comme des remèdes, des philtres ou des parfums servant à la momification. Elles encensaient la demeure des morts, leur garantissant dans l'au-delà la pérennité et l'absence de pourriture. Semblables à un passeport pour l'éternité, les épices apportaient à leur félicité une note plus que chaleureuse.

« *Ma sœur, ma fiancée, elle est un jardin fermé..*
Tes pousses forment un paradis de grenade,
Avec les fruits les plus exquis,
Avec du henné et des nards,
Oui, du nard et du safran,
De l'acore et du cinname,
Avec toutes sortes d'arbres à encens,
De la myrrhe et de l'aloès,
Et les plus suaves des baumiers. »

Cette étonnante recette d'amour nous vient du *Cantique des Cantiques* (IV 12-15) qui fut composé il y a trois mille ans par le roi Salomon. Celui-ci était follement épris de la reine de Sabba laquelle lui révéla entre autres, tous les parfums de la féerique Arabie. Ce « chant par excellence » nous donne une idée de ce que représentaient jadis les épices dans l'art de vivre en Terre promise.

Le Talmud ne dédaigna pas non plus les affaires de cœur puisque maintes fois, il recommanda l'usage de l'ail dont les gousses étaient capables de « *rassasier et réchauffer le corps, donner de l'éclat au visage, augmenter la production du sperme...* »

Le Seigneur lui-même dit à Moïse :

« Procure-toi des aromates [...] Le parfum que tu feras là, vous n'en ferez pas pour vous de même composition. Tu le tiendras pour saint et réservé à Dieu. »

(Exode 30, 34-37)

À en juger par l'aura exceptionnelle que détenaient les épices, il n'est pas étonnant que des trois trésors du monde que les rois mages jugèrent dignes d'offrir au Divin Enfant, deux fussent des arômes : la myrrhe et l'encens. Les parfums ont toujours plu aux dieux. Les documents les plus anciens que nous connaissions concernant l'utilisation des plantes aromatiques datent du troisième millénaire avant notre ère et sont gravés sur des tablettes d'argile provenant des fouilles qui eurent lieu en Mésopotamie. Sumériens et Babyloniens étaient en effet de grands amateurs d'ail, de casse, de thym, de moutarde, de cumin, de coriandre, de grenade, de safran et de rose... Ils en faisaient un commerce intense avec leurs voisins Perses, Phéniciens et Grecs.

Dans sa célèbre *Histoire des Plantes* rédigée au IIIe siècle avant Jésus-Christ, le grand savant grec Théophraste traitait déjà des pouvoirs salutaires des épices. Il recommandait particulièrement les vertus stimulantes de la cannelle, du thym, de la menthe et du poivre... en cas de faiblesse du corps (sous-entendue sexuelle) et de l'esprit.

Dans un autre ouvrage écrit par Dioscoride et datant du début de notre ère, plus de six-cents herbes aromatiques et médicinales sont répertoriées selon un système naturel. Cette œuvre monumentale, intitulée *De Materia Medica*, eut une grande influence sur les botanistes et les médecins, du Moyen Age jusqu'à la Renaissance. Dans son *Naturalis Historia* composée de dix volumes, Pline l'Ancien ne tarit pas non plus de louanges à l'égard de l'anis qui donne à l'homme un physique jeune.

Les anciens prisaient d'ailleurs fort les aromates et en particulier le safran, leur aphrodisiaque préféré. Ils en mettaient dans tous les plats et même sur le membre en question pour le colorer, le parfumer et le viriliser !

Lorsqu'il parvint aux Indes après mille et un périls, l'un des premiers objectifs d'Alexandre le Grand fut de s'y emparer de monceaux de cannelle, de poivre, d'acore et de bien d'autres aromates qui lui étaient inconnus. Mais il caressait surtout le rêve d'y trouver l'épice sublime, capable de prolonger la jeunesse et la virilité.

Les sages de ce pays lui montrèrent alors le fruit le plus doué de vertus qu'ils connaissaient. On peut s'imaginer quelle fut la déception de l'Empereur grec quand il s'aperçut que le fruit tant vanté n'était autre qu'une simple pomme ! Et pourtant c'étaient bien la pomme et la grenade que réclamait à corps et à cri le roi Salomon pour pouvoir contenter les deux mille femmes de son harem. La preuve de l'existence de ces « aphrodisiaques » naturels, qui sont cités à plusieurs reprises dans l'Écriture, nous fut fournie par la découverte récente d'une grenade en ivoire portant cette inscription en caractères proto-hébraïques :

> « *Appartenant au temple du seigneur Yahveh, sacré pour les prêtres.* »

Cet objet décorait probablement jadis, la robe et le sceptre du grand prêtre du Temple qui fut détruit en 586 avant Jésus-Christ par Nabuchodonosor II, roi de Babylone. Il est vrai que Salomon abusait tellement des philtres d'amour que le Divin dut y mettre un hola par ce tragique avertissement :

> « *Ainsi parla le Seigneur, Dieu d'Israël : Voici que je vais arracher le Royaume de la main de Salomon...* »
>
> (Rois XI 4-5)

Face à cet engouement extravagant pour les épices, une question se pose : comment les anciens ont-ils pu s'approvisionner en denrées aromatiques rares, venues des confins de la terre, alors qu'elles leur restaient à l'époque inaccessibles ? Bien que les épices fussent faciles à stocker et à transporter, les techniques de navigation, encore rudimentaires, empêchaient certainement les hommes de s'aventurer sur les océans. Pourtant, depuis la plus haute Antiquité, les marins arabes, indiens et malais... étaient connus pour avoir déjà transporté des épices vers les ports du Golfe persique en suivant le cours régulier de la mousson. De là, des caravanes se chargeaient ensuite de les convoyer vers d'autres villes du bassin méditerranéen. Ainsi, certaines d'entre elles comme Aden, Damas, Petra, Sidon, Tyr ou Alexandrie... devinrent de véritables capitales du commerce des aromates. Par la route de la soie, via le Turkestan, l'Arménie, la Perse, Bagdad et Byzance, les épices atteignirent également l'Europe.

Pendant des siècles, les marchands vénitiens et arabes dominèrent ainsi le marché intercontinental des épices. Une flotte de 3 600 navires reliait l'Asie Mineure à Venise, dont la banque Saint-Marc était la première d'Europe. Plus tard, au cours des guerres et des croisades, les Turcs dirigèrent à leur tour le trafic de ces denrées qui étaient si rares et si coûteuses que nos ancêtres, au Moyen Age, leur attribuaient même une origine surnaturelle !

On racontait que l'écorce de cannelle, en raison de son aspect rugueux et allongé, ensemencée par la verge d'une licorne, rehaussait ainsi ses vertus supposées. Le poivre était quant à lui vendu par les apothicaires sous le nom de « graine de Paradis ». Ce titre de gloire en faisait évidemment encore augmenter le prix... et c'est de là que nous vient l'expression proverbiale : « cher comme poivre ».

« *Et mainte espice délitable*
Que bon manger fait après table. »

D'après ces deux vers tirés du *Roman de la Rose*, on sait que les épices étaient réservées pour la fin du repas, comme un dessert. Peut-être était-ce pour mieux profiter de leur puissance enchanteresse comme le suggère ce monarque empressé de les voir à l'œuvre :

« *Assez tôt après apporta-t-on vins et espices et puis se retraist le roi en sa chambre.* »

(Froissart)

La culture des herbes médicinales et aromatiques fut même introduite dans les jardins des cloîtres par les moines bénédictins. Sainte Hildegarde elle-même recommandait les propriétés fortifiantes de la sarriette, de l'ail... et plus particulièrement de la noix de muscade qui, en parfumant la bière, lui conférait des vertus toniques. Mais plus tardivement, ces épices furent interdites par crainte de pervertir l'âme des religieux.

Et Marco Polo vint

Ce fut dans ce contexte que le jeune Marco Polo, poussé par la curiosité, l'espoir de plaisirs nouveaux et l'attrait matériel, marcha vers le Pays du Soleil Levant. Il profita toutefois de l'expérience de ses deux oncles, Matteo et Niccolo, qui étaient partis avant lui et avaient mis quinze ans pour accomplir ce périple. Il suivit donc la route de la soie, arriva en Chine et en Asie du Sud-Est.

Le récit de son voyage, *Le Livre des Merveilles du monde*, publié au XIVe siècle, contient de nombreuses informations véridiques et presque autant d'aberrations. Ce livre fascina d'ailleurs bon nombre de ceux qui rêvaient d'atteindre la mystérieuse île de Java où « *il y a une grande quantité d'épices précieuses qui ne viennent jamais jusque chez nous...* ». Partout, notre explorateur fut émerveillé par la richesse des indigènes qui « *ont poivre noir, noix de muscade, galanga, cubède, girofle et autres épices...* » sans parler des belles princesses qui tombèrent amoureuses de ce séduisant Vénitien.

Cette aventure qui fut traduite dans tous les pays de l'Occident permit de nourrir l'imaginaire des Européens pendant plus de trois siècles ! Inaccessible à nos ancêtres, le parfum étrange de ces graines, fruits et racines décupla leur désir d'aventure.

Au début du XVe siècle, l'effervescence était telle que l'on croyait encore trouver, selon la fable irréelle de Pierre d'Ailly, entre Cathay et Cipango, le peuple des Hyperboréens, des

Giraudon

Frontispice de *L'Art de distiller les simples.*
Jérôme Brunschwig Burtig, Allemagne, XVIe siècle.
École de Pharmacie, Paris.

hommes sans vices, rendus immortels grâce aux vertus de leurs épices ! Mais cette sensation exaltante, pour ne pas dire voluptueuse, devait être conquise et méritée fut-ce au prix de combats, d'épopées, de bravoures, de sacrifices, de recherches et d'expériences. Ces terres inconnues étaient comme un appel irrésistible vers le large et elles firent naître de nombreux projets visant à conquérir le pays des aromates. Sans tarder, les hommes de cette époque se laissèrent donc entraîner sur la voie des grandes aventures maritimes.

Ce qui motivait aussi ces grands voyages, plus que l'appât du gain, c'était l'ambition des princes européens qui cherchaient à trouver une alliance de revers pour encercler la puissance turque. Cette politique permettait en effet de réoccuper les Lieux-Saints et de libérer le Tombeau du Christ, tout en contrôlant la route des épices et de la soie. Nos princes songeaient à ce royaume légendaire du prêtre Jean, situé quelque part au-delà de l'Éthiopie et où des chrétiens du bout du monde, coupés de l'Occident par la conquête arabe, les attendaient. C'est ce qu'annonçaient les Évangiles apocryphes. Les uns pensaient à leurs croisades, les autres à leurs affaires étant donné que chaque navire chargé d'épices apportait plus de bénéfices que dix caravanes. Princes et marchands étaient tous prêts, enthousiastes et pressés de découvrir la nouvelle route des Indes.

Cependant, comment était-il possible d'affronter l'océan lorsque l'on ne disposait pas de navires capables d'accomplir un tel exploit ? La mise au point de la caravelle et le perfectionnement des instruments de navigation offrirent dans ce sens une chance inespérée au XVe siècle. Les innovations technologiques acquises portèrent sur plusieurs points.

Grâce à un renforcement de l'armature interne des coques et à l'incorporation de châteaux au bordage, la nef acquit plus de robustesse. Parallèlement, les constructeurs portugais rétrécirent les parties hautes de la coque, réalisant ainsi un profil en diapason qui répondait parfaitement aux exigences hydrodynamiques. Cette structure était si bien adaptée qu'elle resta telle quelle jusqu'au XIXe siècle, à la veille de la découverte des turbines à vapeur. D'autre part, au grand mât central portant une voile carrée, on ajouta deux petits mâts placés sur les châteaux avant et arrière. Le château arrière de la « Santa-Maria » se prolongeait par exemple jusqu'au pied du grand mât et était équilibré par un avant relevé. Des membrures apparentes soutenaient l'extérieur de la coque, ce qui contribuait à une plus grande stabilité et à une plus grande résistance aux houles.

Une voile carrée équipait son mât avant tandis que deux voiles encore plus grandes occupaient le grand mât, avec une petite hune pour le veilleur. Quant au mât arrière, il portait une misaine latine triangulaire. Le tout se complétait par un beaupré et une civadière. Un tel bâtiment devait avoir des dimensions avoisinant les vingt-cinq mètres sur huit, avec un tirant d'eau d'environ trois mètres et une surface de voilure dépassant trois cent vingt mètres carrés.

Ces apports techniques distinguèrent nettement la caravelle des navires vénitiens qui étaient de gros vaisseaux de charge, difficiles à manœuvrer. Ces monstres ne possédaient d'ailleurs qu'un seul mât, parfois deux, armés de voiles triangulaires.

Toutes ces améliorations expliquent que la caravelle ait pu louvoyer aisément, dérivant moins que les naves de Venise. Elle remontait mieux au vent et virait avec facilité. La vitesse réalisée, de huit à dix nœuds en moyenne était même admirable, ce qui permit à Christophe Colomb de faire la traversée en vingt-cinq jours, un exploit plus qu'honorable pour un navigateur qui ne possédait aucune carte de navigation et qui ignorait quasiment tout du régime des vents et des courants !

Prétention universelle, desseins politiques, révolution technique, promesses d'or et d'épices, goût de l'aventure... tous les facteurs étaient réunis en cette fin du XVe siècle. L'Europe était mûre pour le grand départ !

Christophe Colomb, Vice-Roi de la mer océane

Le 3 août 1492, après huit ans de préparation et de longue attente, Christophe Colomb, fils d'un tisserand de Gênes, s'embarque enfin à Palos, un petit port de contrebandiers et de pirates, situé au sud de l'Andalousie. Navigateur expérimenté, il a déjà longuement sillonné la Méditerranée, transportant des cargaisons d'épices, de vins et d'huiles de l'île de Chio à Bristol. Les souverains catholiques, Ferdinand d'Aragon et Isabelle de Castille, après avoir vaincu les Maures et expulsé les Juifs d'Espagne, lui accordèrent, d'après les conseils des Pères franciscains, trois vaisseaux pour cette expédition historique.

La « Santa-Maria », navire amiral, fut escortée de la « Nina » et de la « Pinta ». L'équipage comptait moins de cent hommes, recrutés à grande peine, qui emportèrent avec eux des vivres pour une année. Mis à part les deux frères de l'illustre explorateur, Bartolomeo et Jacques, les autres compagnons étaient considérés comme peu sûrs et susceptibles de se soulever pour faire demi-tour. Selon les croyances, on pensait en effet qu'à l'autre bout de l'horizon se trouvaient les berges de l'Enfer et qu'on tombait dans l'abîme...

Aux Canaries, après dix jours de voyage, la coque de la « Pinta », qui était déjà pourrie, dut subir des réparations. La nave avait même son gouvernail disloqué. Le 6 septembre, poussée par des vents favorables, la flottille maintint le cap sur l'ouest, et ce durant trois semaines. Toujours pas de terre en vue, pas d'enfer non plus. Selon ses calculs, Christophe Colomb croyait se trouver tout près du Japon ! A bord, la situation s'envenimait jour après jour et face à l'immensité inconnue et angoissante, la mutinerie menaçait.

Dans la nuit du 11 octobre 1492, un marin de la « Pinta », Rodrigo Triana, aperçut une bande de terre sous le clair de lune. On ne le prit pas au sérieux mais le lendemain, le mirage devint réalité. Le Nouveau Monde était là, dans toute la splendeur de sa luxuriante végétation. Christophe Colomb remercia Dieu de l'avoir guidé jusqu'aux Indes... et débarqua en réalité sur un îlot des Bahamas. Il était convaincu que bientôt l'or et le poivre inonderaient les marchés de Séville, comme le témoigne ce passage de son livre de bord :

> « *Je peux assurer Leurs Altesses que je leur donnerai autant d'or qu'il leur sera nécessaire ainsi que des épices, du coton, autant qu'elles en désireront, et également des esclaves que l'on pourra prendre parmi les idolâtres. Je crois avoir trouvé de la rhubarbe, de la cannelle [...] Tout cela est certain.* »

Quand la « Santa-Maria » regagna Palos d'où elle était partie, la cour royale se trouvait alors à Barcelone. Christophe Colomb l'y rejoignit. Il y reçut solennellement le titre de « Vice-Roi de la mer océane ». Assis aux côtés de Ferdinand et d'Isabelle, il leur présenta les trésors rapportés des « Indes ». Les matelots déposèrent devant leurs Majestés des pépites et des objets en or, des plantes bizarres, des perroquets hurlant à tue-tête..., puis on fit entrer des Indiens amaigris et tremblants de fièvre. Ce fut le clou du spectacle. Il y eut un peu d'or, mais pas la moindre graine de poivre.

Par trois fois, Christophe Colomb retourna au Nouveau Monde, explora tour à tour les Antilles, le Panama, le bassin de l'Orénoque et le Honduras. Son quatrième voyage dura neuf mois. Partout où il passait, il faisait un inventaire minutieux des ressources, mais il ne réussit jamais à trouver un seul clou de girofle. Où étaient-ils donc ces jardins parfumés de Java, des Indes et du Tibet... dont parlait Marco Polo ? Frustré, furieux, amer et désespéré, il ne pouvait concevoir que cette « Terra incognita » ne fût autre que les Indes.

Et pourtant, le Nouveau Monde allait révéler à l'Europe non seulement de l'or, mais aussi une soixantaine de plantes inconnues que l'on croyait aphrodisiaques. Par la suite, on s'aperçut qu'elles possédaient toutes de grandes valeurs nutritives et médicales. Mais pour le moment, on ignorait encore que ces végétaux allaient, pendant des siècles, apporter plus de richesses que l'introuvable Eldorado, le trésor mythique des Inca.

Dans le sillage de la caravelle

Sur les traces de Christophe Colomb, l'explorateur florentin, Amerigo Vespucci, atteignit à son tour le golfe du Mexique. Il descendit ensuite vers le sud, jusqu'à la Patagonie. Lui non plus ne put jamais atteindre Java, et encore moins les Indes fabuleuses, puisqu'il ignorait l'existence même de l'océan Pacifique. Mais il avait la conviction qu'il s'agissait là d'une terre autre que l'Asie. Son livre intitulé *Mundus Novus* (1503) contenait tellement de descriptions de cet énigmatique continent que le géographe allemand Martin Waldseemüller proposa de l'appeler : « l'Amérique ».

La découverte de l'Amérique, même s'il ne s'agissait pas du paradis des épices, inaugura pour l'Europe une nouvelle façon de concevoir l'univers. Désormais, rien ne fut plus comme avant.

Les conquistadors furent éblouis par l'abondance d'or et d'argent qu'ils découvrirent, mais curieusement, l'afflux de ces métaux précieux, loin d'enrichir l'Espagne, entraîna au contraire l'appauvrissement du peuple en raison de la hausse des prix !

L'écrivain espagnol Saavedra Fajardo notait :

> « *Aussitôt, l'agriculture a délaissé la charrue et, vêtue de soie, elle a pris soin de ses mains durcies au travail [...] Les arts ont dédaigné les instruments mécaniques [...] Les denrées elles-mêmes ont prix de l'orgueil et, mésestimant l'argent et l'or, elles ont haussé leur prix...* »

Le faste des épices entraîna une demande accrue et imposa d'autres expéditions si bien que les aliments de base coûtèrent jusqu'à quarante fois plus cher. L'importation massive de produits grimpa et fit augmenter les dettes de l'État. Fortunes et ruines brutales, luxe ostentatoire et misère, tels furent les deux visages de l'Espagne comme le montrent les œuvres peintes de Murillo. La malédiction de l'or fut le paradoxe d'un pays à la fois opulent et misérable.

Minée par la fièvre de ces métaux précieux, la Puissance de la mer océane déclina et se retrouva privée de la force de ses paysans, artisans et marchands... L'Espagne fut affaiblie, malade, et ses frontières furent menacées. Les autres pays de l'Europe qui convoitaient ses trésors ne tardèrent pas à lui donner le coup de grâce. Au milieu des flamboiements prétentieux et des extravagances ridicules de Séville, qui pouvait encore entendre ces cris du poète Calderon ?

> « *Qu'est-ce que la vie ? Une frénésie.*
> *Qu'est-ce que la vie ? Une illusion...*
> *Car toute la vie est songe*
> *Et les songes ne sont que songe.* »

Les philosophes de l'Occident, de Montaigne à Rousseau en passant par Diderot, virent en ces peuples du Nouveau Monde et des mers du Sud, une idéalisation de la figure du bon sauvage aux vertus intactes et originelles. A l'aube de la Révolution, ils cristallisèrent cette aspiration au renouvellement qui allait bouleverser la pensée et la société.

CHAPITRE V

INVITATION AUX DÉLICES DES TROPIQUES

Un amour de muscade

De toutes les épices, la noix de muscade, « *macir* » en latin, fut certainement celle qui de tout temps, intrigua le plus nos ancêtres. Elle resta une énigme durant près de trente siècles, depuis le milieu du IIe millénaire avant notre ère jusqu'à la découverte de l'océan Pacifique par le grand navigateur portugais Vasco de Gama, vers la fin du xve siècle. Dans les premiers temps, on ignorait quasiment tout du pays d'origine de la muscade et naturellement, toutes sortes d'histoires fantaisistes furent inventées dans le but de vanter ses vertus et d'augmenter son prix. On prétendait ainsi que cette noix n'était autre que l'œil de l'oiseau de feu ! Ce qui expliquait bien d'ailleurs les flammes du désir qu'elle réveille... Pline l'Ancien, loin d'être dupe, se pencha en vain sur le végétal qui produisait ces noix : « *Le macir s'apporte aussi des Indes... mais quel est cet arbre ?* »

Curieusement, les Européens ne furent pas les seuls à s'interroger sur le mystère de cet aromate. Les Arabes qui contrôlaient le monopole de ce commerce cherchaient aussi à connaître le pays d'où il provenait mais les marchands des Indes gardaient jalousement leur secret.

Dans l'Antiquité, la noix de muscade était considérée comme la reine des épices et les Égyptiens la payaient à prix d'or. Paradoxalement, elle ne servait pas à enchanter leur palais ou leur sexe, mais leurs morts. Des fragments de cette noix ont pu en effet être identifiés sur des momies. La muscade était l'ingrédient exquis dont rêvaient les pharaons pour momifier leur corps. Même au Moyen Age, les apothicaires d'Avignon faisaient importer cette noix et la conservaient soigneusement dans des pots de faïence, dans l'espoir d'avoir un jour le suprême honneur d'embaumer la dépouille du pape... En attendant, on dansait dans des châteaux où la viande et le vin étaient souvent parfumés de cet aromate dont les poètes et les troubadours chantaient les louanges :

« *Itel fruit cum sont nois mugades.* »

(*Le Roman de la Rose*)

Vers l'an mille, le grand médecin perse Avicenne signala à ses contemporains les effets secondaires de cette épice qu'ils absorbaient exagérément, dans le but d'améliorer les prouesses de leur verge. Les signes d'une intoxication ressemblaient à ceux de l'ivresse : la victime délirait et se montrait gaie tandis que d'autres vomissaient avant de sombrer dans la torpeur, sans avoir pu accomplir le moindre exploit. Mais la réputation de la muscade n'en fut pas pour autant ternie. C'est du mot perse « moushk » signifiant « parfum » que dérivent les mots « musc » et « muscade ».

Lorsque Marco Polo raconta dans son livre l'existence dans les mers du Sud, d'îles paradisiaques où fleurissaient toute l'année des muscadiers, il stimula l'imaginaire de nos ancêtres, plus que ne le firent jamais les épices. L'engouement provoqué par ce produit était tel en Allemagne que Martin Luther disait qu'il y avait moins de blé dans son pays que d'épices. A Londres, les esprits puritains et bien pensants préconisaient même d'interdire le commerce de ces « noix sataniques » afin de ne pas corrompre la jeunesse. Toutefois, ces mesures n'empêchèrent point leur succès continu.

Vers 1448 enfin, un premier témoignage assez sérieux sembla confirmer le récit de Marco Polo. Un certain Nicolo Conti, marchand vénitien lui aussi, ayant passé vingt-quatre ans aux Indes, avait appris des marins malais que le berceau des muscadiers se trouvait dans l'île de Banda, située à deux mois de voyage à l'est de Java. Mais comment pouvait-on atteindre cet Éden des épices alors que nos ancêtres n'avaient même pas quitté la Méditerranée ?

Aucune carte n'existait. On ne manquait pas d'en dessiner mais on y mélangeait l'objectif et le subjectif, les rumeurs et les faits, la fable et la réalité. Ces cartes représentaient donc, non pas la Terre, mais l'image mentale qu'en avaient les hommes. C'était leur façon d'appréhender l'espace et la distance d'un monde inaccessible. Pourtant, ces cartes qui nous paraissent aujourd'hui puériles et fantaisistes leur permirent de sonder l'inconnu, de pouvoir repérer leurs erreurs, de rectifier leurs trajets et de compléter les manques afin d'atteindre ces mers à la fois fabuleuses et périlleuses. C'est au prix de ces expériences admirables, nées du courage, de la persévérance, du sacrifice et du rêve... qu'ils relevèrent le défi et atteignirent leur but, offrant ainsi à nos tables ces saveurs et ces arômes.

Six ans à peine après la découverte du Nouveau Monde, Vasco de Gama choisit de partir vers les Indes par la route de l'est. Il était convaincu d'y parvenir puisque les quatre voyages de Christophe Colomb n'avaient rapporté aucune épice. Vasco de Gama profita en fait des renseignements précieux qui s'étaient accumulés depuis un siècle. En effet, d'autres navigateurs portugais s'étaient aventurés sur ce même chemin. La côte nord-africaine fut explorée en 1414, celle du Sénégal en 1445 et l'archipel du Cap-Vert en 1457... Enfin, en 1489, Bartolomeo Diaz franchit l'équateur et doubla le Cap de Bonne-Espérance. Il y guida plus tard Vasco de Gama.

Tous ces préparatifs permirent à ce dernier de contourner l'Afrique et de reconnaître sa côte orientale. Il traversa ensuite l'océan Indien et gagna les Indes. Le parcours fut long et difficile et l'équipage, composé de condamnés à mort à qui l'on avait promis la vie sauve au retour, fut ravagé par le scorbut. La maladie, due au manque de légumes frais (vitamine C), obligea donc Vasco de Gama à engager des marins arabes dont l'expérience lui fut d'ailleurs indispensable. Mais ce ne fut qu'au cours de son deuxième voyage (1503), et avec l'aide de guides indigènes, qu'il pénétra dans l'océan Pacifique, jeta successivement l'ancre à Malacca, à Sumatra et à Java. La route des épices était enfin découverte. Cependant, la mystérieuse île de Banda lui échappait toujours. Ce voyage ouvrit tout de même au Portugal la maîtrise de l'océan Indien ainsi que les comptoirs de l'immense empire des épices. L'Europe, libérée des monopoles arabes, traita désormais directement avec les pays producteurs des mers du Sud.

A son retour, Vasco de Gama reçut les mêmes honneurs que Christophe Colomb et fut couronné « Vice-Roi des Indes portugaises ». Mais l'introuvable île de Banda le hanta toujours. Il retourna une troisième fois aux Indes mais il mourut à Cochin, le 24 décembre 1524.

Après sa mort, la recherche de l'île des muscadiers se poursuivit pendant deux siècles encore, au prix d'intrigues et de combats sanglants qui bâtirent la splendeur mais entraînèrent aussi la chute de bien des empires. A la suite de Vasco de Gama, Magellan, un autre Portugais, rêva lui aussi d'atteindre par l'ouest cette île au trésor que son prédécesseur n'avait pas réussi à trouver. Mais selon ses calculs erronés, il croyait que l'océan Pacifique n'avait que 1 000 milles de large ! Heureusement que Charles Quint, qui n'était pourtant pas très fort en mathématiques non plus, se passionna pour ce projet et lui accorda cinq vieux navires, les plus gros qui existaient, afin de transporter le maximum d'épices...

Le 20 septembre 1519, son escadre traversa l'Atlantique, fit escale à Rio de Janeiro pour se ravitailler, puis s'avança vers la pointe de l'Amérique du Sud dans l'espoir d'y trouver un passage conduisant vers le Pacifique. Mais l'équipage, lui, exigea de faire demi-tour. Magellan parvint à maîtriser la mutinerie et fit pendre les rebelles pour servir d'exemple. Dans les chenaux en fureur de la Patagonie, un de ses navires échoua mais il réussit néanmoins à déboucher sur le Pacifique et se lança sur les flots.

Brûlés par le sel et le soleil, dévorés par la soif et la faim, ces hommes poursuivirent leur route vers l'ouest, passant sur les abîmes inconnus de cette mer qu'ils croyaient pacifique. Pendant les cent jours de traversée, le manque d'eau et de vivres obligea les marins à manger des rats et la plupart d'entre eux succombèrent au scorbut, à des diarrhées et à la famine... Lorsque l'escadre toucha enfin les Philippines, on s'aperçut au grand désespoir de tous qu'il n'y avait ni épices ni or.

C'est au cours d'un des combats qui suivirent, qu'une flèche blessa Magellan. Ce n'était qu'une petite plaie mais la flèche était empoisonnée et des convulsions l'emportèrent quelques heures après. L'expédition tourna au désastre. Seul son second, le capitaine El Cano, réussit à s'échapper avec un navire et dix-huit survivants des deux cent soixante-cinq membres de l'équipage. Il fit voile vers l'ouest et arriva finalement aux îles Moluques (du mot javanais « moloc » qui veut dire « délicat »), terre promise où fleurissaient les muscadiers et les girofliers.

Dès son retour, El Cano fut anobli par Charles Quint. Il avait non seulement trouvé le berceau des muscadiers, mais surtout, il avait prouvé que la Terre était bien ronde ! L'image du globe orna désormais ses armes avec pour devise :

« *Toi le premier, tu as fait de tour de moi.* » Son voyage avait duré mille jours.

L'Espagne devint ainsi une grande puissance maritime et évinça le Portugal dans le contrôle de la route des épices. Sa gloire régna sur les océans pendant deux siècles, jusqu'à l'arrivée de la Hollande. Java et ses îles passèrent alors sous la domination de cette dernière qui, pour maintenir le prix des épices, détruisit une partie des plantations. Avant d'être exportées, les noix de muscade subissaient même un traitement au lait de chaux visant à en empêcher la germination. Mais comme toutes ces mesures ne suffisaient pas encore, la flotte hollandaise se mit à surveiller les côtes de ces îles, interdisant toute approche aux navires étrangers. Ils soupçonnaient déjà les Français qui rodaient autour de ces archipels.

Un certain Monsieur Poivre sillonnait en effet la région depuis six ans. Il était intendant de l'île de France (l'île Maurice) et de l'île Bourbon (La Réunion). La vigilance des Hollandais n'avait jamais découragé l'espoir de ce franc-tireur : trouver la fameuse île de Banda.

Un jour, le destin lui sourit enfin. Il parvint à tromper le blocus de l'adversaire par une manœuvre de diversion et pénétra dans la mer de Banda, au sud des Moluques. A son grand étonnement, il s'aperçut qu'il ne s'agissait pas d'une île, mais de tout un chapelet d'îles de rêve : Amboine, Ceram, Boeroe, Jilolo... et bien sûr la légendaire Banda où poussaient des muscadiers à l'état sauvage, des girofliers et bien d'autres espèces inconnues !

Cinq girofliers et une douzaine de muscadiers furent ainsi dérobés et rapportés à l'île Maurice. Mais au cours de la traversée, l'eau se mit hélas à manquer ! L'équipage dut s'en priver pour préserver la survie de ces précieux végétaux, mais malgré ces efforts, un seul giroflier et deux muscadiers arrivèrent vivants. Par chance, il s'agissait d'un plant mâle et d'un plant femelle. Les plantations des îles de l'océan Indien et des Caraïbes descendirent de ces trois rescapés sauvés de la soif.

Lorsque ces échantillons arrivèrent en Europe, ils furent acclamés avec lyrisme. Le grand naturaliste Linné décerna un titre princier au giroflier et le classa dans le genre « Eugénia » en honneur à Eugène II de Savoie, protecteur de la botanique et ami des épices. Quant au muscadier, on lui créa une dynastie spéciale, celle des myristicacées, du grec « *myristikos* » qui signifie odorant. Cette noble famille compte aujourd'hui au moins quatre-vingts espèces qui savent toute séduire par la gamme de leurs parfums.

Peu d'individus se souviennent aujourd'hui de Pierre Poivre bien que ses exploits aient eu le mérite de mettre à la portée de tous ces denrées de luxe, jadis réservées aux grands de ce monde.

Dans son milieu naturel, le muscadier est un grand arbre touffu de vingt mètres de haut, aux longues feuilles sombres et luisantes. Ses fleurs, très parfumées, sont petites et isolées, de couleur jaune ou verdâtre. Les arbres portent soit des fleurs mâles soit des fleurs femelles. Le muscadier mâle est en général entouré d'une dizaine de muscadiers femelles. Mais seuls les arbres femelles portent des fruits jaunes qui ressemblent aux abricots. Chaque fruit mûr s'ouvre en deux valves et laisse entrevoir un gros noyau enveloppé par une membrane dentelée de couleur écarlate. Cette membrane (ou arille) s'appelle « macis ». Ce nom lui fut attribué par Pline qui pensait qu'il s'agissait de l'écorce d'une racine venant de l'Inde. Lorsqu'il est coupé en lamelles séchées, le macis est vendu sous le nom de « fleur de muscade ». Il présente d'ailleurs les mêmes qualités que la noix, mais il est un peu âcre et piquant.

Le noyau, une fois débarrassé de son enveloppe, est exposé au soleil pendant deux mois. A l'intérieur, l'amande se détache de la coque et résonne comme un grelot quand on la secoue. Les planteurs brisent alors le noyau à l'aide d'un maillet de bois et en extraient une amande brunâtre dont la surface est marbrée de veines rouges. Chaque muscadier donne trois récoltes par an. Très amoureux, les plants femelles sont toujours en fleurs tout en portant des fruits, ce qui demande au muscadier mâle un rythme de floraison très actif. Un dicton indigène dit que cette espèce d'arbre nourrit et réjouit le sexe pendant trois générations !

Les travaux de Schacht ont montré que les huiles essentielles de la noix de muscade étaient composées de safrol, d'eugénol et de myristine, substances qui existent également dans le persil. La myristine est un dérivé de benzène végétal qui est à la fois un excitant, un narcotique et un toxique, à dose élevée. La tradition conseille donc par expérience, de manier cet aromate de la façon dont on poivre les mets. Étant très volatiles, les molécules de myristine stimulent directement les centres profonds du cerveau, le lobe olfactif ou rhinencéphale, là où se trouvent justement les circuits de la pulsion sexuelle, si bien que le fait d'humer cet arôme suffit à déclencher le désir.

Mais gare aux excès de table et d'amour qui sont toujours nuisibles ! La muscade peut provoquer des crampes douloureuses qui surviennent brusquement, non pas au niveau du sexe, mais au niveau du ventre. Toutefois, les cas d'intoxication par la myristine ne s'observent que chez les imprudents et les pressés qui abusent des extraits purs de cette noix dont la dose normale en aromathérapie ne dépasse guère deux gouttes.

L'huile grasse de cette noix, « le beurre de muscade », est plus intéressante encore puisqu'elle renferme aussi de la myristine, capable de faire gonfler la verge après friction. Le principe de cet aphrodisiaque local est en réalité d'exciter les récepteurs des artères responsables de leur dilatation, tout en freinant l'action des nerfs sympathiques chargés d'en rétrécir le calibre. Il ne s'agit donc pas à proprement parler d'une érection, mais d'une augmentation du volume de la verge fort encourageante. Cependant, une voile gonflée par le vent, et non encore hissée, ne fait guère avancer la barque. La tumescence constitue néanmoins un bon départ si les réseaux nerveux de l'organe fonctionnent normalement.

Curieusement, nos ancêtres qui adoraient ce genre d'astuce ont découvert que le blanc de cachalot présentait la même propriété. La graisse de cette baleine contient en effet des molécules analogues à la myristine. Et depuis des siècles, une chasse intensive a été menée contre ce pauvre animal dont l'espèce est actuellement en voie d'extermination. Étant donné, par ailleurs, que le blanc rappelle la couleur du sperme, la graisse de cet animal est encore plus recherchée lorsqu'elle provient d'un cachalot blanc. Elle aurait même l'avantage de ne pas provoquer de symptômes d'intolérance comme c'est le cas pour la muscade, quand on en abuse. Tout ceci explique la vogue incroyable de baumes qui sont encore aujourd'hui confectionnés à partir de ce mammifère marin, condamné à être sacrifié sur l'autel du plaisir...

Raide comme un clou de girofle

Il y a des milliers d'années que le girofle est connu aux Indes comme un aromate, un aphrodisiaque et un remède contre les rages de dents et la toux. Son arôme est censé éclaircir l'esprit, éloigner la fatigue et rafraîchir l'haleine. Dans l'Antiquité, ce sont les Phéniciens qui détenaient le monopole de ce commerce dans tous les ports de la Méditerranée. Pour les Grecs et les Romains, le girofle, que Pline nommait « *caryophyllum* », constituait l'un des composants rituels de l'onction purificatrice du corps et de l'autel. A Rome, cette épice parfumait également les vins de fêtes et d'orgies. On raconte qu'au IIIe siècle avant notre ère, Séleunos, roi de Syrie et maître des épices transitant par son royaume, préleva l'impôt payable en girofles et l'offrit au temple d'Apollon à Millet.

Le girofle était tellement rare et précieux à l'époque qu'on le conservait dans des récipients en or. Des archéologues ont en effet retrouvé deux clous de girofle, placés dans un petit coffret en or, dans une sépulture alsacienne du VIe siècle. En 335, lorsque saint Sylvestre, évêque de Rome, fit du christianisme la religion d'État de l'Empire, il reçut de l'Empereur Constantin cent cinquante livres de girofles, contenues dans des vases d'or. Elles n'étaient certes pas destinées à une célébration orgiaque mais faisaient office de récompense suprême pour la sagesse de sa politique. En ce temps-là, en effet, Byzance exportait déjà ses célèbres pilules d'amour de « cynoglosse », dont la formule secrète renfermait justement des poudres de cette épice et de bien d'autres encore.

Le mot girofle vient de l'arabe « *quarumfel* » qui donna « girofre » en français médiéval. La conquête du girofle partage en fait les mêmes périls, les mêmes aventures et les mêmes sacrifices que celle de la muscade. Il a aussi pour berceau les mers du Sud dont la légende inspira les rêves les plus romantiques et fit éclore les élans et les projets les plus audacieux de générations entières de vaillants navigateurs. Il n'est en rien excessif de dire que la lumière a finalement jailli de l'euphorie soulevée par la quête de ces arômes ensorcelants !

Avec ses quinze mètres de haut, formant un cône majestueux de longues feuilles d'un vert brillant, le giroflier est l'un des arbres les plus magnifiques de l'archipel des Moluques. Au début de la saison des pluies, sa robe devient quasiment féerique. On dirait un arbre de Noël scintillant d'or et de feu sous les tropiques. La pousse des jeunes feuilles se colore à ce moment de teintes roses et jaunes, lançant partout des éclats de soleil.

Ses fleurs, petites et odorantes, garnissent le sommet des branches. Chaque fleur possède quatre sépales soudés à la base en un tube rougeâtre au sommet duquel s'ouvrent les pétales jaunes. La corolle est centrée autour d'un bouton bombant de couleur rose. Son fruit violacé, de forme allongée, est vendu sous le nom d'« anthofle ». Fleurs, feuilles, fruits et écorce... sont gorgés d'essences aromatiques, cachées dans des glandes microscopiques. Le fait de frôler ces feuilles suffit à parfumer les doigts mais ce sont surtout les boutons floraux qui exhalent les senteurs les plus suaves. On ne les cueille qu'au jour où ils commencent à rougir, un par un, à la main. Le fait de battre les branches avec un bambou pour les faire tomber blesserait l'arbre et nuirait à son parfum. Après déssechage, ces boutons floraux sont vendus sous l'appellation de « clous de girofle ». Selon la tradition, sa longévité serait de deux siècles !

L'élément principal de l'essence de girofle est l'eugénol qui fut isolé par Bonastre en 1824. Puis, les autres composants furent mis en évidence : caryophyllène, acéteugénol, furfurol, vanilline et salicylate de méthyle... Toutes ces molécules, à la fois volatiles et pénétrantes, se révélèrent douées d'un effet révulsif puissant sur les centres érogènes situés dans le cerveau et sur l'organe sexuel. Elles exaltent en effet la perception sensorielle, stimulent les circuits nerveux et font décharger les hormones des glandes, ce qui engendre une excitation générale, aussi bien physique que mentale.

Jadis, il était de coutume de mélanger une demi-cuillerée à café de poudre de girofle avec deux fois plus de miel (du miel de rose ou de romarin, de préférence). On obtenait ainsi, paraît-il, une confiture naturelle très câline pour le sexe. Dans ces proportions, cet aphrodisiaque n'avait aucun effet indésirable susceptible de perturber les ébats.

Pour les personnes plus affaiblies, on conseillait plutôt une infusion à deux clous de girofle par tasse d'eau bouillante, sucrée également au miel. L'infusion devait durer vingt minutes. Une posologie de deux tasses par jour, midi et soir, était largement efficace. Nos ancêtres étaient d'ailleurs des gens fort sensibles et raisonnables car ils craignaient de trop brusquer leur sexe et ne s'aventuraient pas à prendre des doses héroïques, lesquelles sont responsables de vomissements et de diarrhées. Les plus téméraires d'entre eux se jetaient en revanche sur le fameux vin chaud de girofle. Cet élixir s'obtenait en faisant tremper vingt clous de girofle et une noix de muscade dans un litre de vin blanc dont on faisait chauffer à feu doux, la quantité d'une coupe, juste avant de l'absorber. Cette préparation devait probablement permettre de faire évaporer une partie de l'alcool et des molécules volatiles. Au cas où les performances laissaient à désirer, on proposait également des liqueurs de girofle.

Étant donné le nombre considérable des inventions qui fleurissaient chaque jour, on doute néanmoins de l'efficacité de ces recettes, pourtant élaborées avec beaucoup de soin et d'imagination. Aucune substance n'y échappa, toutes furent essayées, recomposées, modifiées et réadaptées... jusqu'à ce que l'éclosion du désir fût réalisée. La quête de l'aphrodisiaque idéal ne connut aucun moment de répit.

Par le charme de la cannelle

Le mot cannelle vient du malais « *kaimanis* ». Lorsque les premiers navigateurs hittites l'amenèrent au Moyen-Orient, Babyloniens et Assyriens l'appelèrent « kinnamon » ou « kanu ». les Hébreux, déportés au cours de l'Exode en Mésopotamie, apprirent ainsi à aimer cette épice. Maintes fois, le *Livre des Proverbes et des Cantiques* chanta son arôme incomparable sous le nom de « cinname », dont le diminutif est « kaneh ». Les Grecs, contrairement aux Romains, ne raffolaient guère des vertus cachées du « *cinnamomum* ». Il est vrai qu'ils avaient bien d'autres épices à leur disposition. En revanche, de tout temps, les Phéniciens éprouvèrent une profonde dévotion pour cette épice. Cet engouement ne visait pas à enchanter leur activité sexuelle mais avait plutôt une motivation lucrative. Partout, ils détenaient en effet le monopole de ce commerce et en tiraient d'énormes profits. Curieusement, s'ils accordaient peu de confiance au pouvoir aphrodisiaque de la cannelle, ils la réservaient pourtant à leur divinité, la déesse Astarte. A chaque retour du printemps, les Phéniciens brûlaient sur son autel des monceaux de cet aromate dont la senteur était censée attiser les ardeurs de la Terre Mère, protectrice des champs et du bétail.

> « *Il est aisé de voir que de pareils contes ont été inventés pour augmenter le prix de la drogue* »

ironisait Pline à propos des vertus supposées de la cannelle. N'oublions pas que mythe et publicité ont toujours fait bon ménage ! Dans le temple d'Apollon, une racine de cinnamome avait été placée dans une coupe d'or que l'Impératrice Livie avait offerte à son mari Auguste. Au temple du Capitole, la cannelle apparaît sur une couronne incrustée d'or et de joyaux.

Comme pour la muscade, la quête de la cannelle fit changer la face du monde. Jusqu'au Moyen Age, son pays d'origine resta mystérieux : on la croyait venir d'Éthiopie, d'Arabie ou de Chine. Mais les anciens distinguaient néanmoins deux sortes de cannelles. La première, le kinnamômon, était appréciée pour ses qualités complaisantes. La deuxième, la kassia, était une fausse cannelle uniquement destinée à la parfumerie. Ils ignoraient bien sûr que le vrai cannelier pousse en Asie du Sud-Est et la kassia en Chine. L'un est d'ailleurs le cousin germain de l'autre. Nos premières révélations sur la patrie de la cannelle nous provinrent également du récit de Marco Polo :

« Il y a aussi un petit arbre qui a des feuilles comme le laurier et dont la fleur est blanche [...]. Il y croît de la cannelle en grande abondance... dans le Royaume de Melibar (Malabar). »

Ce pays fascinant, c'était la Malaisie et nos ancêtres durent patienter encore trois cents ans avant quc Vasco dc Gama ne l'atteigne. On racontait que les indigènes considéraient le cannelier comme un arbre sacré et qu'au moment de la récolte, on organisait des cérémonies votives pour lui demander la permission de le déshabiller de son écorce. Puis c'était le roi qui, symboliquement, dépouillait l'arbre et en recueillait l'écorce. Il en fixait ensuite le prix devant l'assemblée des notables. La nuit, sous la musique des gongs et des xylophones, l'orchestre des théâtres d'ombres remerciait le cannelier dénudé de s'être montré généreux à leur égard.

Jusqu'au XIIIe siècle, la cannelle connut un prestige inégalé auprès des amoureux qui y puisaient remèdes et consolations. Notre littérature médiévale loua à l'envi cette épice sublime ayant contribué à parfumer le sang du Christ dans le vase mythique du Saint-Graal ! Les romans de Chrétien de Troyes et de Wolfram von Erschenbach inspirèrent plus tard Wagner dans *Parsifal*. Malheureusement, la cannelle ne tarda pas à corrompre les humains et à bouleverser leur organisation sociale et politique. Le tarif des péages, tout comme l'achat des charges ou des faveurs d'un juge, se payait en bâtons de cannelle qui valaient le prix de l'or.

« *Ainsi l'or n'y aura, ny la faveur, accez,*
Et ne sera besoin d'espicer les procez. »

Telle fut l'amertume de Du Bellay face à la folie qu'éprouvaient ses contemporains pour cet aromate. C'est seulement par la loi du 24 août 1790 que l'on décréta que les juges ne seraient plus payés en épices, mais par l'État.

Après la découverte de la route des Indes par Vasco de Gama, la flotte portugaise occupa Ceylan en 1536. De là, elle achemina les épices vers l'Europe en contournant la pointe de l'Afrique. Mais, convoitant la richesse des Portugais, les vaisseaux hollandais s'emparèrent de l'île et chassèrent leurs rivaux. Ils pensaient y trouver une source inépuisable de cannelle, mais surexploitée, Ceylan ne possédait plus que quelques canneliers moribonds. Les nouveaux maîtres de l'île durent donc y développer de nouvelles plantations à partir des souches restantes. Leur prospérité ne se fit pas attendre, mais leur malheur non plus puisqu'ils furent à leur tour délogés par les Anglais.

Dès lors, le prix des épices se fixa à Londres. Cette redistribution des cartes ne laissa pas la France indifférente, d'autant plus qu'elle comptait déjà l'immense empire des Indes au nombre de ses conquêtes. La rivalité entre l'Angleterre et la France dura longtemps et eut pour résultat inattendu l'indépendance des États-Unis d'Amérique, soutenue par Louis XVI. Malgré ce succès, la marine française ne réussit jamais à ravir aux Anglais leur main mise sur la cannelle.

C'est alors que vint Francis Garnier, un officier né à Saint-Étienne. Ce jeune lieutenant de la Marine française était un original, un aventurier et un indiscipliné. Il déplaisait à ses supérieurs et pour ne plus le voir, on l'exila en l'envoyant en mission, le plus loin possible. Il partit donc en Extrême-Orient, de là où l'on ne revenait que malade, fou ou mort et se fixa pour but de battre les Anglais, en découvrant le berceau originel des canneliers.

Il arriva au Royaume du Cambodge et remonta le Mékong aux quatre bras, le fleuve sacré que les Khmers adoraient comme une divinité. Sa jonque glissa lentement, à contre-courant, au milieu de la forêt inondée, escortée par des crocodiles, des serpents de mer et des moustiques. La nuit, les hurlements des sirènes et des lamantins, faisaient trembler ses rameurs pour qui ces chants signifiaient mauvais présage.

Sans s'en rendre compte, Garnier était parvenu au cœur du fantastique empire du dieu à quatre faces. Près du Grand Lac, s'élevaient des sanctuaires mystérieux enlacés par des lianes et des racines, les fameux Temples d'Angkor. Partout, les pierres des autels, le lit des sources, le sommet des collines étaient honorés de phallus majestueux (le linga) célébrant la gloire de la Création.

Plus au sud, des montagnes impénétrables s'étendaient jusqu'au Golfe du Siam. C'était la chaîne des cardamomes, ces épices aux parfums exquis que chantaient jadis Virgile et Ovide ! Encouragé par tous ces trésors qu'il venait de découvrir, Garnier poursuivit l'exploration vers le nord mais bientôt, les cataractes du Mékong en fureur l'obligèrent à abandonner l'embarcation. Avec ses hommes, il s'enfonça alors dans la jungle... Un jour de 1868, alors qu'on pensait qu'il avait péri, dévoré par les tigres ou infesté par la malaria, il parvint à la frontière du Laos. Là, sur les hauts plateaux, à travers monts et vallées fleurissaient, à perte de vue, des forêts de canneliers sauvages qu'exploitaient depuis toujours les montagnards Radé, Mnong, Brau et Bahna. Ils les vendaient ensuite aux pirates chinois, les redoutables « pavillons noirs ». Garnier venait de découvrir de toutes les cannelles, la « cannelle royale », celle que les Anglais s'arrachaient au prix fort !

Le cannelier appartient à la famille du laurier. A l'état sauvage, sa taille dépasse parfois les douze mètres. Ses feuilles, qui sont d'un vert tendre, dégagent un intense parfum tout comme ses petites fleurs, groupées en panicules. Mais c'est surtout l'écorce du cannelier qui est gorgée de substances odorantes : l'eugénol, l'aldéhyde cinnamique, le phellandrène, le benzoate de benzyl, le camphre et la coumarine. La finesse de son essence est due à l'amylcétone. Par ailleurs, la saveur sucrée de la cannelle provient d'un sucre particulier, le mannitol. Les canneliers ne fournissent de l'écorce qu'à l'âge de vingt ans. Une fois qu'un tronc a été dénudé, il faut encore attendre dix ans pour lui laisser le temps de régénérer son écorce. En revanche, les jeunes canneliers des plantations produisent une écorce mince et ne demandent qu'un délai de repousse de un à deux ans.

Les connaisseurs jugent la qualité d'une cannelle d'après son épaisseur, sa couleur brunâtre, son parfum pénétrant et sa densité. Curieusement, dans le pays d'origine du cannelier, on ignore ses vertus aphrodisiaques et, si les femmes le connaissent, c'est plutôt pour ses effets abortifs. La cannelle fait en effet se contracter les fibres musculaires lisses de l'utérus et, à forte dose, provoque des crampes.

En réalité, la cannelle, fut-elle royale, n'exerce aucune influence directe sur la verge. Elle ne fait qu'y activer un complice efficace qui accepte de collaborer avec elle pour enchanter le sexe. Au niveau des cellules aplaties (cellules endothéliales) qui tapissent la paroi interne des artères, il y a normalement une sécrétion infime d'oxyde nitrique (NO). Cette molécule résulte de l'union d'un atome d'azote (N) et d'un atome d'oxygène (O). L'essence de la cannelle a pour effet de hâter la décharge et la diffusion de cette substance vers la paroi des artères dont elle relâche les cellules musculaires lisses. Sous l'effet de cette dilatation des vaisseaux, le sang afflue vers la verge et gonfle l'organe, et ce d'autant mieux que le sang devient plus fluide sous l'effet anti-coagulant de la coumarine.

L'aldéhyde cinnamique induit une réaction identique au niveau du cerveau. Les cellules nerveuses sollicitées libèrent aussi leurs molécules d'oxyde nitrique, ce qui amplifie les réponses sensorielles. Plus diaboliques encore, ces substances remontent à contre-courant le long des réseaux nerveux et font tourner en rond les ondes bio-électriques. Il en résulte un prolongement agréable des sensations reçues, entretenu par l'explosion des particules d'énergie emmagasinées (calcium, phosphore et enzymes de guanine monophosphatique).

Un feu d'artifice voluptueux illumine l'esprit et sous cet enchantement, la moindre caresse, le moindre mouvement s'épanouissent dans l'extase de la plénitude. Pendant ce temps, la mémoire et l'émotivité s'embrasent, les flammes de la passion envoûtent déjà le système limbique et le rhinencéphale, ces étages profonds du système nerveux central où dorment l'instinct et les souvenirs. Magique est la cannelle ! Mais son abus épuise vite nos cellules. Brutalement, la tonicité et l'élan disparaissent et s'installe alors un état flasque et désespérant dont la réparation ne s'obtiendra qu'avec un temps de repos plus ou moins long.

C'est pour cette raison que la tradition a de tout temps conseillé la tisane de cannelle, à raison de 20 g par tasse, à infuser pendant trente minutes. Certains y ajoutent même deux clous de girofle pour s'assurer des effets recherchés ! Il existe aussi des vins et des liqueurs confectionnés dans ce but, mais ils agissent toujours comme un coup de fouet administré au sexe. En général, la femme se montre plus sensible à la cannelle car cette épice stimule la sécrétion des ovaires et les enzymes du cerveau aiguisent les sens.

La cardamome au palais de Sémiramis

Selon la légende, la reine des jardins suspendus de Babylone, la belle Sémiramis, aurait consolé ses amants surmenés avec du vin de cardamome. Cette épice importée des contrées lointaines de l'Orient, jouit en tout cas d'une immense popularité en Assyrie, en Chaldée et en Égypte... On la considérait même comme le présent le plus délicat que l'on pouvait offrir aux dieux et aux hommes, surtout quand ils avaient des « petites faiblesses ».

Aux Indes, on désignait la cardamome sous le terme sanskrit de « *candravâlâ* ». Les caravaniers arabes quant à eux, l'appelaient « *hahmâma* » étant donné sa « saveur chaude ». De là dérivent les mots « *amômum* » et « *cardamômum* » du latin. L'étude linguistique montre que cette épice a longtemps rendu service à l'humanité, mais pas toujours là où on l'imaginait. Elle fut d'abord appréciée pour ses vertus toniques, stomachiques et carminatives, puis, du ventre au sexe, le pas fut vite franchi.

Selon Plutarque, les aromates les plus en vogue à Rome étaient la cannelle et la cardamome. Ses contemporains les importaient de Chypre parce qu'elles plaisaient non seulement au goût et à l'odorat, mais aussi parce qu'elles aidaient « *à ouvrir sans peine la porte de Vénus* ». Les frontières étaient d'ailleurs bien vagues entre les aromates et les parfums, comme l'indique cette plaisanterie du poète Catulle, parlant de ces deux épices que les Romaines faisaient mijoter à l'intention de leur époux :

> « *Je te donnerai le parfum dont les Grâces et les Amours ont fait cadeau à ma maîtresse. Quand tu le sentiras, tu prieras les dieux de te rendre, Fabulus, tout nez.* »

Depuis l'Antiquité jusqu'au milieu du XXe siècle, en passant par une période de folie au Moyen Age, cette plante eut une renommée des plus extraordinaires. Aucun grand festin d'antan ne pouvait se priver de sa magie comme en témoigne cette phrase de Du Cange, au XIIe siècle, dans son ouvrage sur Byzance : « *Et cardemoine et nois muscades* ». Plus près de nous, Rabelais n'oublia pas non plus les vertus notoires de cette épice. Le père de Gargantua distinguait déjà la cardamome à inflorescence de celle qui a un aspect d'épi, cette dernière étant plus renommée et donc plus chère.

La cardamome est une plante vivace des forêts équatoriales humides. Elle pousse à l'ombre des arbres et préfère la fraîcheur des moyennes altitudes. Cette plante appartient à la famille des zingibéracées, elle est donc la cousine du gingembre et du curcuma. Tous trois sont d'ailleurs des aphrodisiaques, du moins exploités en tant que tels depuis des millénaires. De son robuste rhizome, poussent des tiges élancées et droites portant de longues feuilles lancéolées. Ses fleurs, blanches et bleutées, ressemblent à celles de l'iris. Les fruits se présentent comme des capsules dont chacune contient des grains ridés. Fruits et fleurs sont riches en substances odorantes, mais seuls les fruits sont cueillis juste avant leur maturité complète. Sans cette précaution, trop mûrs, ils éclatent en éjectant leurs graines. La cueillette se fait à la main, fruit après fruit et l'on prend soin de ne pas endommager les boutons et les jeunes fruits. Selon la coutume indigène, ce travail minutieux qui demande beaucoup de doigté, revient aux femmes.

Les fruits les plus recherchés restent ceux des variétés sauvages, telle l'espèce d'« *amomum kravahn* » qui peuple les montagnes des cardamomes au Cambodge. Au début de la saison des pluies, les pousses pointent du sol. Le commencement de chaque cycle végétal est l'occasion de fêtes religieuses où les sorciers des tribus Pohls invoquent les esprits de la forêt, qu'ils adjurent de protéger les récoltes. D'autres cérémonies votives saluent la période de floraison et de cueillette. On prie, on sacrifie un poulet aux génies du sous-bois, on décore de guirlandes les chapelles rupestres qui sont dressées au pied des arbres où croissent des colonies de cardamomes. Dans cette société agraire, le culte phallique, l'archétype des divinités accordant la fertilité au sol et aux humains, survit encore. Le sexe y est lui-même adoré comme un dieu.

L'huile essentielle du cardamome comprend des terpinols, du cinéol, de l'eucalyptol et en particulier des acides gras mono-insaturés. Les graines sont riches en aleurone et en amylodextrine. En médecine populaire, les fruits de la cardamome sont concassés avant d'être trempés dans du vin et un peu de miel, selon les proportions d'une dose de cardamome pour deux doses de vin. Les indigènes qui n'ont pas de vin recourent simplement à l'alcool de riz, de palme ou de manioc. Au bout de six à huit mois, le vin acquiert un arôme exquis. Il a la réputation de provoquer rapidement l'érection, par la contraction des muscles du périnée. On administre aussi cette liqueur aux femmes à la suite des couches.

Mais ce sont surtout ses acides gras qui sont intéressants dans le traitement préventif. Ces molécules constituent en effet la matière première dont se servent toutes nos cellules pour réparer leurs membranes externes et internes, là où se fixent les enzymes et où s'opèrent justement la transmission des messages et la synthèse des substances biologiques. Une cellule à membranes usées ressemble un peu à une usine dont le réseau d'électricité marcherait mal. On conçoit dès lors l'importance des dégâts qu'elles peuvent éventuellement occasionner au cours de l'acte sexuel. De nos jours, la cardamome a complètement perdu sa gloire d'antan et reste même ignorée des sexologues et des andrologues. La cause de ce déclin est à chercher dans le caractère peu spectaculaire de ses effets. On l'abandonne donc pour d'autres drogues plus « prétentieuses ». Mais les anciens avaient peut-être raison en adoptant cette épice qui sait agir avec douceur.

Le gingembre, aimé des dames

Dans le monde des épices, le gingembre est sans aucun doute le rhizome le plus laid qui soit. Voilà une racine charnue, tubéreuse et tortueuse, couverte de nœuds rugueux, d'appendices ridés et de radicelles brunâtres qui ressemblent à des poils rigides ! De-ci, de-là, on remarque des renflements durs, granuleux et parfois écailleux qui dégagent une intense odeur épicée. Au premier coup d'œil, cette masse amorphe aux silhouettes tourbillonnées et sinueuses présente un aspect peu attrayant. On dirait presque une main hideuse. Le gingembre sait pourtant séduire... et surtout les dames qui adorent la langueur de son arôme, la puissance de son piquant et les nuances de son âcreté tirant sur l'amer.

Son succès est immense dans les pays anglo-saxons où il parfume le thé, les limonades, les liqueurs, la bière, les gâteaux, la viande... et jusqu'aux confitures et marmelades. En Asie, on le mange cru ou en fruit confit au Nouvel An. Le fait de le recouvrir de sucre ou de miel permet de lui conserver encore plus longtemps son arôme. D'autre part, il entraîne la sécrétion des sucs gastriques, ouvre l'appétit et encourage la digestion. Pendant longtemps, il fut prescrit contre l'anémie car sa sève laiteuse renferme un fer facilement absorbable par l'organisme.

Cette plante herbacée originaire des mers du Sud appartient aussi à la famille du cardamome. Comme ce dernier, elle n'aime pas non plus le soleil et préfère les endroits frais et ombragés. Curieusement, ses tiges, lorsqu'elles portent des feuilles ne portent pas de fleurs et vice versa. Les jeunes

Giraudon

Marchand de noix de muscade.
Art médiéval gothique, XVᵉ siècle.
Bibliothèque Estense, Modène.

Giraudon

Le feu aux poudres.
Jean Honoré Fragonard (1732-1806).
Musée du Louvre, Paris.

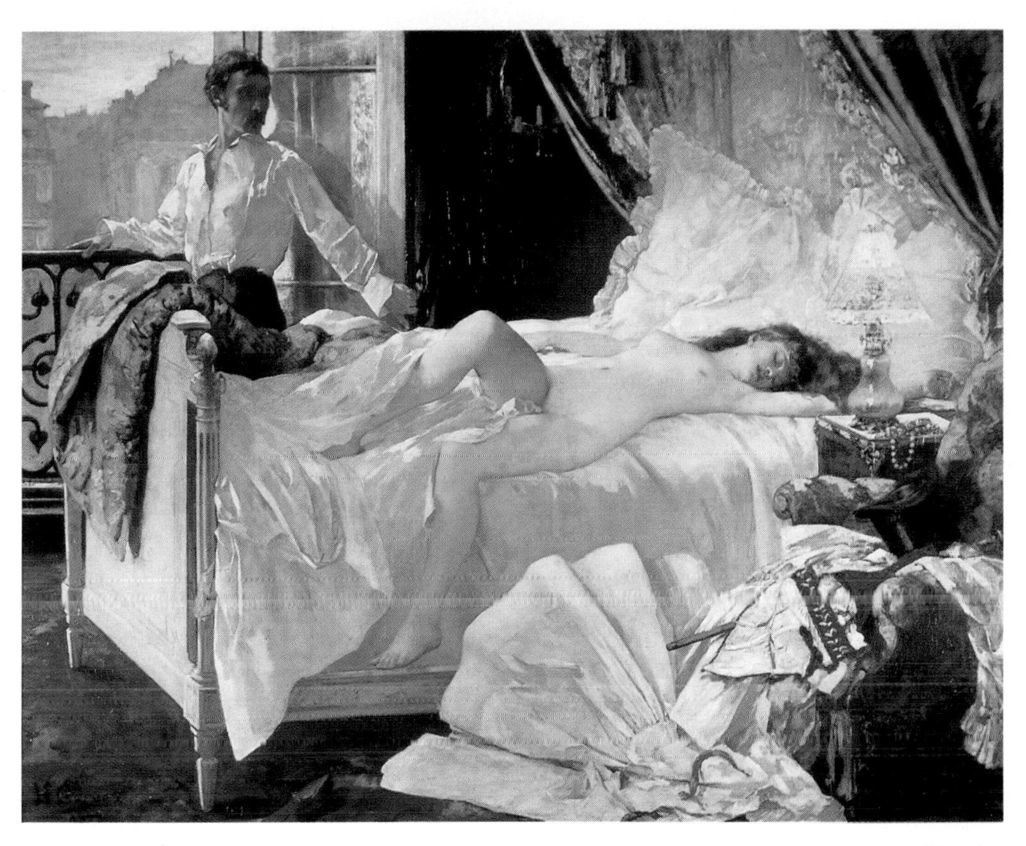

Giraudon

Rolla.
Henri Gervex (1852-1929).
Musée des Beaux-Arts, Bordeaux.

Giraudon

Marchand de cannelle.
Art médiéval gothique, XVe siècle.
Bibliothèque Estense, Modène.

feuilles sont d'abord cylindriques, enveloppées d'une gaine, puis elles s'ouvrent en limbes lancéolés à sommet pointu. Ses fleurs, de couleur pourpre et pointillées d'or, se cachent discrètement derrière une bractée protectrice. Sa corolle comporte trois pétales dont l'un est nettement plus large et coloré. Ce déséquilibre crée une harmonie parfaite qui lui confère une beauté irrésistible. Dans son pays, rares sont les femmes qui se montrent indifférentes au parfum de ses fleurs et à son charme. Son fruit, qui a la forme d'un noyau déhiscent, renferme des graines minuscules rangées dans trois étroites logettes. La variété grise est sucrée tandis que la variété blanche est piquante.

Dans l'Antiquité, les Romaines disaient que cette épice provoquait des effets tantôt euphorisants, tantôt excitants. Les bacchanales, prêtresses du temple de Bacchus, la recherchaient pour entrer en transes mais elles la mélangeaient en réalité à du vin et à d'autres poudres confectionnées à partir d'un champignon vénéneux, le terrible « phallus puant ».

En tant que parfum et antiseptique, le gingembre jouait un rôle non négligeable dans l'hygiène corporelle. Dans les thermes, on se lavait avec des décoctions et des baumes de gingembre qui étaient censés embellir et soigner la peau. Sa fumée éloignait les insectes et les mauvaises odeurs.

Le mot gingembre nous vient du persan « *zungebil* » qui donna en grec et en latin « *dziggiber* » et « *zingiber* ». C'est par la route de la soie que les Perses ont donc introduit cette épice dans le monde gréco-romain. Au début de notre ère, le grand gastronome Apicius conseillait aux Romains de « mettre en lieu sec » leur gingembre et leur girofle afin qu'ils ne perdent ni leur parfum ni leurs vertus. Vers la même époque, Strabon signalait que chaque année cent vingt navires chargés de gingembre et d'autres denrées venant de l'Inde gagnaient les ports de la mer Rouge. Leur cargaison était ensuite transportée à dos de chameaux jusqu'à Alexandrie. Ce trafic dura jusqu'à la Renaissance, apportant de quoi pimenter la civilisation Européenne. Mais après avoir été fort sollicité au cours de l'Antiquité et du Moyen Age, le gingembre tomba en disgrâce et ne regagna une certaine faveur qu'à notre siècle.

Parmi les divers alcaloïdes que révéla l'analyse phytochimique de ce rhizome, on a d'abord isolé le gingérol et la zingérone. En 1944 seulement, les travaux de O'Gorman mirent en évidence le zingibérène, une substance très rare dans la nature puisqu'il s'agit d'un hydrocarbure végétal ! On comprend mieux dès lors les capacités du gingembre à allumer la passion, provoquer un afflux brutal de sang vers l'organe et créer des bouffées de chaleur qui illuminent le corps et les sentiments. Le gingembre peut être pris sous toutes les formes mais, habituellement, une infusion d'un sachet à 1 gramme par tasse après le dîner (pendant 20 minutes) se révèle efficace. Les traditionalistes préfèrent le vin de gingembre (200 g/litre) qui réchauffe davantage le cœur et les émois.

Une nouvelle sensation de curcuma

Le curcuma, troisième mousquetaire de la famille des zingibéracées, nous est également parvenu des Indes par la route de la soie. Les perses l'appelaient « *kurkum* ». Introduit ensuite en Andalousie par les Arabes, il devint « *kourkoume* », ce qui donna le vieux mot espagnol « *curcuma* ». Par sa couleur, jaune brillant, il était considéré comme un « safran indien ». Mais cette épice qui recevait partout un accueil chaleureux ne répondait pas au goût des Européens. On le délaissa pour le safran dont la saveur et l'arôme présentaient une gamme de nuances bien plus délicates. Par contre, la médecine médiévale l'utilisa dans le traitement des maladies du foie. Dioscoride le conseillait contre la jaunisse, tout simplement parce que, selon lui, sa couleur indiquait la maladie qu'elle guérissait !

Dans son pays d'origine, on éprouve encore aujourd'hui un immense respect vis-à-vis de ce modeste rhizome dont les vertus ne s'appliquent absolument pas à l'endroit que l'on pensait. On s'en sert en effet, non pas comme d'un aphrodisiaque, mais comme d'un colorant sacré pour teindre la robe des bonzes. Ce jaune éclatant symbolise le rayonnement de la Parole du Bouddha qui enseigna l'Amour de tous les êtres.

Puis le curcuma trouva une autre carrière non moins réjouissante. L'art culinaire autochtone ne tarda pas à lui attribuer des qualités à la fois gustatives et sensuelles. En tant qu'ingrédient principal du carry indien (« curry » en anglais), le curcuma entre dans une composition exquise d'arômes et soulève rapidement, avec les autres épices, les ardeurs longtemps endormies. Les amateurs des restaurants indiens et pakistanais adorent ces sensations exotiques. Malheureusement, le carry brûle d'abord la langue avant d'animer le sexe, mais cela ne décourage guère les puristes, bien au contraire. Pour les non-initiés, on peut certes commander des plats moins épicés. Mais, en dépit de la bonne volonté du cuisinier, le carry, même allégé, représente une véritable épreuve de fakir. C'est à croire que l'amour ne fleurit qu'à celui qui le mérite. Et pourtant, nous mangeons tous du curcuma sans le savoir car la plupart de nos moutardes en contiennent. Le piquant de cette épice y est habilement masqué par le miel ou le sucre.

La plante du curcuma atteint à peu près un mètre de haut. Ses longues feuilles, de forme elliptique et à bords ondulés, s'ouvrent élégamment en éventail. Ses fleurs, groupées en petites inflorescences, ont aussi une couleur safran, tout comme le jus de son rhizome. Ce dernier ressemble à un œuf portant à sa surface des cicatrices laissées par la chute des feuilles de l'année précédente. D'autres rhizomes sont plus allongés, mais curcuma rond et curcuma long appartiennent en fait à la même plante. Le premier provient du tubercule principal, le second de ses ramifications latérales. Le fruit du curcuma se présente en capsules et contient des graines dont l'arôme rappelle celui du gingembre.

Le principe actif de ce rhizome est dû à la curcumine, une substance qui se comporte à la fois comme un aromate et comme un colorant. Mais on a aussi isolé une huile volatile et fluorescente qui, dans l'obscurité, émet une lueur orangée pareille à un soleil des tropiques que la plante aurait piégé dans ses cellules. On a également découvert dans l'essence de cette épice des molécules d'atlantone, de turmérone et de curcumène, substances volatiles qui orchestrent l'action des autres épices pour enflammer les centres érecteurs disposés le long de l'axe nerveux, du cerveau au plancher du petit bassin. On comprend maintenant pourquoi la tradition a toujours incorporé dans la recette du carry, ce poème d'arômes qui est d'une composition aussi délicate que mystérieuse.

Carmen au buste de safran

Le safran n'est autre qu'une fleur de crocus, d'où son appellation botanique de : « *crocus sativus* ». Grecs et Romains, dans l'Antiquité, l'exploitaient déjà sous le nom de « *krokos* ». Ils s'en servaient tantôt comme d'un aromate, tantôt comme d'un remède, d'un parfum, d'un colorant ou d'un aphrodisiaque. Il existait, dans les thermes, des bains safranés destinés à remettre en forme les noceurs asthéniques. De même, avant leur combat, athlètes et gladiateurs enduisaient leur corps d'huile de safran que l'on disait douée de vertus toniques pour la musculature.

Trois catégories de ces poudres se vendaient déjà à Rome. Le safran blanc, une espèce cultivée, attirait peu de clients. Le safran orangé de Lybie, très odorant, servait à la parfumerie. Mais le plus estimé était le safran jaune de Cilicie, la patrie de saint Paul. Il s'agissait là d'une espèce sauvage à effet aphrodisiaque universellement reconnu. Pline et Dioscoride, soucieux de pouvoir profiter de ces plantes incomparables, enseignaient même à leurs contemporains l'art de reconnaître le vrai safran du faux !

Les faussaires qui peuplaient le forum vantaient en effet aux incrédules les mérites de leurs marchandises. Il suffisait pour les reconnaître, selon ces deux auteurs, de toucher ces poudres et de porter le doigt à la joue. Si elles irritaient la peau du visage, et même les yeux, il s'agissait du vrai safran et même d'une épice d'exquise qualité.

Le safran est un charmeur des sens et du sexe. De nos jours encore, la coutume ancestrale des villages de l'Asie du Sud-Est veut même que l'on se farde de ces poudres orangées pour embellir la peau, éviter les piqûres d'insectes et soigner les brûlures du soleil. Marguerite Duras l'explique ainsi dans *Un barrage contre le Pacifique* :

> « *Et toujours, avant d'atteindre les villages du flanc de la montagne [...] on rencontrait les trois premiers enfants des villages des forêts, tout enduits de safran contre les moustiques et suivis de leurs bandes de chiens errants.* »

Des souches spontanées de cette plante poussent encore aujourd'hui sur quelques îles de la mer Égée. Ces espèces sauvages, très recherchées, sont heureusement protégées. Aujourd'hui, c'est l'Espagne qui en cultive le plus.

Le mot safran vient de l'arabe « *azafran* » qui veut dire « *filament* » et qui désigne le pistil effilé de cette fleur de crocus. Cette plante appartient à la famille de l'iris. Or, le pistil, en botanique, constitue l'organe femelle de la fleur. De là à croire qu'il réveille le sexe de l'homme, c'est tout ce qu'il y a de plus naturel et nos ancêtres ne manquaient pas de poésie.

Sur sa corolle mauve à six pétales, le pistil s'allonge, hérissé de trois antennes, les stigmates dansant au gré du vent dans l'espoir d'attirer les insectes marieurs. Ces messagers ailés, en les butinant, les abreuvent du pollen dont leurs calices sont assoiffés.

A la différence des crocus qui ornent nos jardins au printemps, le safran ne fleurit qu'en automne. De plus, ses fleurs fragiles ne durent qu'une journée. C'est un trésor éphémère qu'il faut récolter très tôt le matin, avant que les fleurs ne changent de couleur, ne se fanent et ne perdent leur senteur. Le refrain d'une vieille chanson de Castille dit d'ailleurs :

> « *Une fleur arrogante, née avec le soleil du matin*
> *Et morte au crépuscule* ».

Fleur après fleur, le pistil est prélevé avec ses trois précieux stigmates rouges. Il faut ainsi près de deux cent mille fleurs pour obtenir trois cents grammes de safran ! Cette poudre est « *l'or rouge* » de l'Espagne, l'aromate le plus cher du monde.

On torréfie ensuite les pistils récoltés sur un feu doux de charbon de bois. La poudre qui en résulte est d'un rouge écarlate et doit être conservée à l'abri de l'air et de la lumière. L'oxydation altère en effet son arôme, sa saveur, et probablement ses vertus. Bien fermé dans une boîte hermétique, l'arôme du safran dure un demi-siècle. Comme dans l'Antiquité, le safran falsifié existe toujours. Il est composé de carthame et arrosé de parfum synthétique. Mais le produit se reconnaît par son goût amer et par son absence de finesse. C'est une poudre neutre qui n'émeut guère les amants.

La séduction de cet aromate est née de l'alchimie de la safranine et de la crocine, deux alacaloïdes instables. C'est pourquoi l'art culinaire a de tout temps conseillé de safraner les mets au tout dernier moment. Des études récentes ont montré que ces molécules agissaient sur l'organisme à la manière des hormones sexuelles, en activant des ions de calcium dans l'usine cellulaire.

Sous la baguette magique du safran, chaque atome de calcium est susceptible d'accrocher deux électrons de plus et se mute en un ion portant deux charges électriques positives. Le calcium, ayant acquis un haut niveau d'énergie, se comporte alors comme un messager universel, capable d'allumer rapidement les réactions enzymatiques. Les cellules nerveuses, ainsi encouragées, s'emballent soudain et déchargent des bouffées successives de messagers chimiques. Parmi ceux-ci, la dopamine se révèle particulièrement inspiratrice de l'éclosion du désir. Le secret de cette coquine de crocine est à présent bien connu, c'est en complotant avec sa sœur, la safranine, qu'elle engendre l'explosion de la volupté. Le safran renferme également du phytostérol, une véritable hormone végétale, très puissante, qui fait gonfler les seins, sécréter les glandes de la paroi vaginale et simule l'action des hormones œstrogéniques des ovaires.

Mais, comme dans la plupart des cas, tout abus de safran peut causer des manifestations inattendues, dues à la toxicité de ses alcaloïdes, qui vont du vomissement aux douleurs d'estomac. Ces inconvénients sont toutefois rarissimes et ne se rencontrent que chez les imprudents qui abusent d'extraits de safran sous forme de teinture. D'ailleurs, on interdisait jadis aux femmes enceintes de consommer des plats trop assaisonnés de safran. Ceci indique bien que les anciens savaient déjà que cette épice, à dose inappropriée, entraîne de violentes contractions des muscles de l'utérus, responsables de saignements et de fausses-couches.

Le poivre de l'extrême

Quatre siècles avant notre ère, Théophraste distinguait déjà trois catégories de poivres venant des Indes : le poivre long et le poivre noir, dont ce dernier comporte deux variétés, une noire et une blanche. Dans son *Histoire Naturelle,* Pline pensait que toutes ces souches venaient de la même plante et que le fait de sécher la graine au soleil donnait du poivre noir, tandis qu'en la séchant à l'ombre, on obtenait de poivre blanc. Quant au poivre long, il fallait pour l'obtenir, cueillir la gousse avant qu'elle ne s'ouvre ! Mais ce qui intriguait le plus notre grand naturaliste, c'était la raison pour laquelle ses semblables étaient si friands de cette épice qui, à part son feu, ne présentait au fond aucune qualité agréable ni nourrissante. Le poivre et le gingembre, faisait-il remarquer, étaient les uniques denrées qui se négociaient au poids, comme l'or et l'argent.

Ces graines piquantes, les Grecs les appelaient « *piperi* » et les Romains « *piper* », mots qui dérivaient de l'indien « *pippali* ». Il est certain que les Gaulois avaient appris à savourer cette épice piquante grâce à leurs échanges avec les colons romains. Ces Barbares en raffolaient tellement qu'ils l'exigèrent même comme rançon lors du siège de Rome en 408. Ainsi la ville vaincue dut-elle verser au roi des Goths, Alaric, trois mille livres de poivre et cinq mille livres d'or... Mais Rome regorgeait d'épices, une des rues les plus luxueuses de la ville s'appelait même « *via piperatica* », c'est-à-dire la rue aux poivres !

Les archéologues qui examinèrent la momie de Ramsès II, embaumé en 1224 avant Jésus-Christ, trouvèrent dans le ventre du pharaon des grains de poivre mêlés à de l'huile de camomille et à des pétales de lotus. On doute que ces substances aient vraiment servi à « réchauffer » le corps et le sexe du défunt, mais en tant qu'anti-putricides, elles permirent une conservation parfaite de la momie, et ce pendant plus de trois millénaires.

Le poivre était avant tout un précieux anti-poison aux yeux des anciens : on poivrait et on épiçait les boissons comme les aliments pour ne pas être victime des maladies ou des empoisonnements. Des pièces de monnaie romaines datant de l'époque des Antonins, qui furent retrouvées aux Indes, en Malaisie et dans l'embouchure du Mékong, attestent que le commerce de ces denrées entre Rome et l'Asie florissait déjà au Ier siècle.

Au Moyen Age, le poivre remplaçait même la monnaie dans les échanges commerciaux, les donations, les dots, les impôts et les héritages. La richesse et le faste des seigneurs s'appréciaient selon l'importance de leurs poivres, dont la réserve était visitée et admirée comme une cave. Les apothicaires vendaient ces « *graines du paradis* » à l'once (30 g), car le poivre était utilisé comme médicament contre les maux de ventre et l'anémie. Le poivre connaissait une telle renommée que les marchands de cette épice, les pébriers, constituaient une caste à part et que les autres épiciers enviaient leur aisance et leur savoir-faire. Quant au statut des simples gens du peuple, il ne valait selon *Le Roman de la Rose*, qu'« *ung grain de poivre* ».

Jusqu'à la Renaissance, l'Europe ignorait encore comment se présentait le poivrier dans la nature. Seuls quelques auteurs arabes l'avaient décrit comme une vigne. Le poivrier est effectivement une plante grimpante de la famille des pipéracées qui inclut près de six cents espèces. Ses feuilles, en forme de cœur, semblent indiquer ses vertus, chères aux humains. Des baies vertes naissent de ses inflorescences à petites fleurs jaunâtres. En mûrissant, elles deviennent rouges, puis jaunes. Après le séchage, la pulpe se ride et forme une enveloppe noire. Pour obtenir le poivre blanc, plus parfumé et moins piquant, on débarrasse la pulpe par frottements dans l'eau de chaux.

La saveur piquante du poivre provient de la pipérine de la pulpe. Le poivre blanc qui en referme peu contient en revanche des essences odorantes : phellandrènes, cadinènes et chavicol. C'est l'acide pipérique contenu dans cette épice qui stimule les cellules nerveuses et provoque une décharge brutale des ondes électriques et des substances biochimiques (les neurotransmetteurs). Les centres supérieurs, ainsi foudroyés, se retrouvent soudain dans un état d'exaltation souvent indomptable. Quelques téméraires allaient même jusqu'à essayer cette coutume originale de l'Inde qui consiste à mâcher trois grains de poivre et s'en oindre la verge. Il y avait certainement là de quoi réaliser un vrai feu de paille !

Quand la fétide assa charma l'amour

L'assa est une ombellifère qui pousse dans les montagnes arides de l'Iran et de l'Afghanistan. Sa tige, cannelée et creuse, possède des feuilles alternes et de minuscules fleurs blanches, groupées en ombrelles. Ses feuilles ont l'extraordinaire particularité d'être gorgées d'alcaloïdes, surtout de pinène, de carvone, de térébanlène, de phytostérols et d'alcool octylique. Toutes ces substances sont liées à une haute teneur en soufre de l'assa, ce qui ne manque pas de lui conférer une odeur nauséabonde, voire cadavérique, si horrible que les Perses disaient que même le serpent l'évitait en la sentant de loin ! D'ailleurs les bergers de la région la portent toujours dans un sachet pour se protéger des morsures de vipère. Les botanistes qui n'appréciaient guère la senteur répugnante de cette plante l'ont ainsi baptisée du nom peu flatteur d'*Assa Fetida*.

Curieusement, ce sont ces molécules à l'odeur insoutenable qui, une fois absorbées, synchronisent la propagation des ondes électriques le long des circuits du cerveau. Leur action se porte effectivement sur les relais et les jonctions (les synapses) situés entre les cellules nerveuses. A leur appel, les neurones se mettent au pas et s'associent pour agir dans une même direction. Tout se passe comme si l'énergie de l'organisme était canalisée vers un but précis. L'effort est alors focalisé et dirigé vers la fonction visée. Cette réorientation de l'influx biologique, sous la double influence des sens et de la motrocité musculaire, est naturellement bénéfique à la sollicitation sexuelle en cours.

C'est en raison de ces légendaires propriétés aphrodisiaques que les anciens ont toujours respecté cette plante qu'ils traitaient avec égard. Elle constituait même le remède le plus fidèle et le plus adéquat que l'on ait conseillé aux amants qui avaient des problèmes. Mais l'odeur indésirable de l'assa explique qu'elle n'ait jamais réussi à conquérir le cœur des amants Européens. Dans sa patrie, en revanche, elle règne toujours au « *jardin parfumé* » du plaisir. On la cultive sur de grandes étendues afin d'extraire le suc jaunâtre de ses tiges vertes. Cette sève, en se coagulant à l'air, donne une gomme connue sous le nom de « *gabanum* ». C'est le « *helbenâh* » des Hébreux dont nous parle l'Ancien Testament.

Selon une très ancienne coutume orientale, il suffit de prendre une petite cuillerée de poudre d'assa le soir, mélangée à du miel ou à du lait caillé pour observer ses effets. Mais une autre façon de prendre cette poudre consiste à la diluer dans le thé ou le café. C'est ainsi que tous les chemins mènent à l'amour !

CHAPITRE VI

LA FONTAINE DE JOUVENCE DU GRAND INCA

Le Nouveau Monde avait bien déçu les conquistadors qui n'y trouvèrent jamais la moindre trace d'épices, et encore moins de ces aphrodisiaques tant rêvés. Mais selon les rumeurs, le roi des Incas possédait une source merveilleuse, cachée dans la forêt luxuriante des Andes. Son eau très parfumée était capable, selon les dires, de revigorer un sexe en déclin. C'est ainsi que naquit le mythe de la « Fontaine de Jouvence » qui traversa l'Atlantique. Le roi d'Espagne chargea alors son vaillant capitaine Ponce de Léon d'organiser une expédition pour découvrir cette source enchantée.

Cet officier avait été l'un des compagnons de Christophe Colomb et avait déjà maintes fois sillonné la mer des Sargasses et des Caraïbes. Un homme expérimenté et compétent pour une mission hors du commun !

Par un matin de l'an 1513, la flotille découvrit une île paradisiaque, qui était en fait une presqu'île, et que Ponce de Léon baptisa « *Florida* » parce que cette « île fleurie » avait des fleurs d'une étrange beauté. Il était persuadé que c'était là que coulait la source miraculeuse. L'exploration de la forêt commença donc aussitôt. Sous des nuées de moustiques, les Espagnols en ratissèrent tous les recoins, se servant des Indiens comme guides. Ils étaient persuadés que ces « sauvages » connaissaient l'emplacement secret de la mystérieuse fontaine...

Mais les Espagnols rentrèrent bredouilles à bord de leurs navires, convaincus que les indigènes gardaient toujours jalousement leur secret, dans cette quête inlassable des substances susceptibles de réveiller l'amour. Ils fouillèrent tous les domaines possibles, explorèrent toutes les terres inconnues et découvrirent indirectement, non pas l'aphrodisiaque de leurs rêves, mais une soixantaine de plantes alimentaires et médicales qui nous sont aujourd'hui encore indispensables. A la suite de ruses, d'intrigues et de tortures, les Indiens terrorisés finirent par leur livrer enfin quelques drogues de félicité. Ces derniers leur apprirent qu'un certain fruit très juteux, d'un rouge éclatant et d'une saveur acidulée, était doué de vertus salutaires qui rajeunissaient le sexe et animaient les ébats. Il s'agissait même d'un fruit sacré dont l'offrande était réservée à l'Oiseau de l'Aube dont le chant tirait chaque matin le Soleil des abîmes de la Terre.

Tomate et pomme de terre pour l'amour en détresse

Face aux menaces et à la cruauté des Espagnols, les grands prêtres durent s'incliner. Ils acceptèrent enfin de leur révéler la nature de ce fruit mystérieux que les Aztèques nommaient « *tomata* ». Inutile de préciser que l'on s'empressa de charger les vaisseaux de ces fruits qui connurent plus tard, en Europe, une carrière autre que celle qui leur était destinée au départ.

Naturellement, les tomates ne supportèrent guère le voyage mais les rares fruits pourris et ratatinés qui arrivèrent furent tout de même vendus comme des « *pommes d'amour* » ! On en sema, avec l'espoir de produire d'autres pommes d'amour, car elles remportèrent un succès inouï en Europe.

Au bout de quelques années, tous les jardins en furent pourvus, mais l'amour, lui, commençait à s'en lasser. On en consommait pourtant beaucoup mais sans que la moindre de ses vertus d'antan ne se manifestât outre mesure. Mais la tomate avait une autre cousine dans son pays d'origine et celle-ci ne tarda pas à voler à son secours. Elle aussi portait un nom qui paraissait énigmatique à nos ancêtres. Les

Aztèques l'adoraient sous le nom de « *patata* » et ce tubercule bien entendu, ensorcelait aussi le sexe.

Mieux, ses petites baies vénéneuses en raison de la présence de solanine, entraient dans la composition des potions de volupté. Les sorciers incas les vendaient en effet comme remèdes contre l'usure des parties intimes, ce qui n'était nullement honteux d'après leurs croyances religieuses. Pommes de terre, patates douces, potions exotiques... arrivèrent en masse en Europe. Il s'agissait là d'une concurrence bien déloyale pour nos vieillards et braves sorcières de campagne qui ne savaient même pas à quoi ressemblait une caravelle ! Ils les adoptèrent, les cultivèrent et les incorporèrent néanmoins à leurs drogues.

Mais, comment expliquer l'émerveillement éphémère que ressentaient parfois nos ancêtres en consommant ces légumes ? Etait-il simplement d'origine psychologique ? Nous savons maintenant que la solanine, présente à l'état de traces dans la tomate et en concentration élevée dans les feuilles et les baies de la pomme de terre, sollicite les récepteurs alpha de la noradrénaline et que sous sa stimulation, certains muscles se contractent énergiquement. Il semble que l'effet excitant résulte également de l'interaction de la solanine, de la butane-diamine et des enzymes (polygalacturonases), lesquelles participent normalement au processus de maturation qui rend le fruit rouge et succulent. Quant aux vertus aphrodisiaques tant vantées de ce fruit, il faut beaucoup d'imagination pour les ressusciter.

Toutes ces aventures peuvent aujourd'hui nous sembler risibles, mais n'oublions pas que la découverte de la pilule contraceptive fut rendue possible, dans les années 50, grâce aux patates des Indiens. Des ethno-botanistes furent en effet fort intrigués de découvrir en Amazonie une variété de patates que consomment les femmes des tribus Guaranis, pour faire venir les règles. Ces tubercules les rendent amoureuses tout en les empêchant de tomber enceintes. L'analyse phytochimique de ces patates révéla par la suite qu'elles renfermaient effectivement une concentration élevée d'hormones végétales à effet œstrogénique.

Ces recherches inspirèrent alors les travaux du Dr Pincus qui tenta de freiner l'ovulation par action hormonale et devint le père de la pilule contraceptive. La synthèse de cette pilule fut au début réalisée à partir d'hormones végétales extraites de ces tubercules d'Amazonie. L'histoire nous montre une fois de plus qu'en partant à la recherche de drogues miracles, l'homme fit avancer la science d'une façon qui dépassa de loin son imagination. C'est ainsi qu'en maîtrisant le mécanisme de procréation de sa propre espèce, l'humanité prit en main sa propre destinée. C'est à une révolution radicale de la sexualité humaine que conduisit la découverte de la pomme de terre. Notre espèce reste en effet la seule à pouvoir dissocier le plaisir du processus biologique de la fécondation.

Chocolat amer

Heureusement pour nous, les dieux du Nouveau Monde adoraient le chocolat, et en particulier le grand « Serpent à plumes », une divinité qui ordonnait le cycle des saisons et des pluies. Dans leur bonté infinie, les dieux firent donc pousser pour l'humanité un bel arbre que les Mayas appelèrent « *cacahuaquchtl* », le cacaoyer.

Cet arbre tropical, de quinze mètres de haut, appartient à la famille des sterculiacées, tout comme son proche cousin le kolatier, dont le fruit fut pendant longtemps vendu comme aphrodisiaque par les apothicaires. Le cacaoyer possède de grandes feuilles persistantes, mais ce sont surtout ses fleurs qui sont le plus étranges. Elles ressemblent à des lys rouges qui auraient directement poussé sur le tronc de l'arbre. C'est pour cette raison que l'espèce fut qualifiée de « cauliflore », ce qui signifie « *tige à fleur* ». Puis, à la place des fleurs se forment des baies allongées, lisses et bombantes, qui pendent le long du tronc et des branches. L'arbre porte ainsi de multiples « mamelles » jaunes d'or et ressemble à la déesse Arthémis d'Ephèse dont le corps se couvrait de seins généreux pour que prospèrent les animaux et les humains.

Mais en dépit de sa générosité, le dieu du cacaoyer se montrait sans pitié envers ses enfants. Il exigeait chaque année des sacrifices humains dont le sang seul permettait d'assurer la renaissance de son cycle végétal. Pendant la cérémonie, des orgies collectives avaient lieu à l'ombre de son feuillage. Ainsi, abreuvé de sang et de sperme, l'arbre portait des noix encore plus belles à la prochaine saison. Les hommes nourrissaient leurs dieux pour qu'en retour, ils leur garantissent leur virilité.

Mais ces noix servaient aussi de monnaie courante dans les échanges, on achetait et l'on payait tout avec cet « argent végétal », tandis que l'or, métal trop malléable, était à peine bon pour la fabrication des vases et des récipients ! Les indigènes s'étonnaient d'ailleurs que ces dieux blancs, venus du Soleil, soient si friands de ce vulgaire métal jaune...

Dans les civilisations précolombiennes, le cacaoyer remplissait trois fonctions : il nourrissait les dieux et les humains, exaltait leur force virile, et faisait prospérer l'économie du pays. A l'arrivée de Christophe Colomb, un commerce florissant régnait déjà entre les différentes régions du pays. En effet, pour éviter que la moisissure n'altère cette monnaie putrécible, les Aztèques étaient obligés de la dépenser, ce qui stimulait les échanges et la circulation des biens. Ces fèves, impossibles à thésauriser, les préservaient ainsi de l'avarice et renforçaient leur système d'entraide. Le Père Pétrus de Angleria observait à juste titre qu'il s'agissait d'« *une monnaie heureuse qui interdit toute spéculation puisqu'elle ne peut être conservée longtemps.* »

Le symbolisme religieux et financier que revêt le cacao explique les préparations minutieuses qui l'entourèrent pendant des milliers d'années : une véritable liturgie codifiée par des rites magiques.

On procédait d'abord à l'extraction des énormes fèves que l'on faisait ensuite fermenter. C'était là une idée géniale des anciens Mayas, une technique qui est d'ailleurs loin d'être maîtrisée par nos chocolatiers actuels. Car en effet, l'excès de fermentation ou au contraire, son absence détruisent les qualités potentielles des fèves. Tout cacao mal fermenté devient acre, voire toxique ! Le rôle des levures consistait donc à aider les enzymes de la noix à synthéser les substances aromatiques et excitantes, tout en dégradant les molécules de cyano-catéchols qui sont capables d'altérer la conscience. Le procédé ancestral des Mayas consistait à jeter les fèves dans un trou que l'on couvrait ensuite de sable fin. On les laissait ainsi fermenter pendant quatre à sept jours avant de les faire sécher au soleil et de les torréfier.

Après la torréfaction, l'amande se séparait de sa coque calcinée et on la broyait entre deux grosses pierres. De telles meules ont en effet été retrouvées dans les temples dédiés au dieu du cacaoyer. A la fin de cette préparation compliquée, la poudre des fèves devait encore donner lieu à une deuxième fermentation visant à parfaire son arôme. Selon la méthode artisanale, on recouvrait les paniers de farine avec des feuilles de cacaoyer. Les levures du milieu ambiant s'y développaient sans tarder et dégradaient les molécules d'acides gras et de sucres (glucose, fructose, etc.).

Au bout d'une dizaine de jours, la fermentation faisait dégager des vapeurs d'alcool, accompagnées d'un suintement de jus huileux. Le début de ces réactions se produisait donc en absence d'oxygène. On remuait ensuite le contenu de temps à autre afin de faciliter la pénétration de l'air. L'oxygène permettait alors de limiter la concentration d'acide lactique qui risquait de dénaturer l'arôme. Mais à ce stade de l'opération, le cacao restait toujours âcre et amer, et son odeur écœurante. On était encore bien loin des parfums sublimes d'un lingot brillant de Bernachon ou de Lenôtre !

Les historiens ont pu reconstituer plusieurs des modes culinaires qu'utilisaient jadis les Aztèques pour préparer leur fameux « *xocoatl* », l'ancêtre de notre chocolat. Sel, guarana, piments, quinquina, farine de tournesol, de pomme de terre et de topinambour composaient, avec la pâte de cacao, une bouillie épaisse que l'on dégustait avec du rôti de dinde ou de cochon d'Inde (« *cobayo* » : le cobay). Ce délice aurait certainement eu de quoi faire grimacer nos conquistadors, si on ne leur avait pas dit qu'il s'agissait d'un extraordinaire aphrodisiaque, réservé au Grand Inca.

Lorsque Cortez demanda à l'Empereur Montezuma de lui accorder la faveur d'admirer son fabuleux trésor, qu'elle ne fut pas la déception des Espagnols de ne trouver que des monceaux de cacao dans l'enceinte du palais. On leur montra même le plus précieux de tout, le jardin sacré de Maniapaltec où fleurissaient des milliers de cacaoyers alignés au pied d'une pyramide. Au sommet de celle-ci, le dieu recevait le cœur de ses victimes. Pauvre Cortez qui s'attendait à y voir des montagnes d'or !

La nouvelle concernant cette miraculeuse « boisson du Grand Inca » se répandit rapidement en Espagne où l'on brûlait d'impatience d'en boire. Mais ce n'est qu'en 1585 que la première cargaison de Véracruz débarqua enfin ces fèves incomparables à Cadix. Le cacao arriva hélas trop tard pour que le pape Clément VII, qui avait longtemps entendu parler des prouesses que procurait cet élixir, pût en boire. Ce fut le Pape Clément VIII qui en profita. Mais cette manne aztèque était d'un goût si abominable qu'il fut impossible d'en avaler plus d'une gorgée.

On fit alors appel au talent culinaire des nonnes qui en supprimèrent les ingrédients piquants et amers et les remplacèrent par du miel, de la vanille et de la crème. Le chocolat était né !

Parmi les multiples recettes aztèques, certaines préconisaient déjà le miel comme unique accompagnement du cacao. Les puristes quant à eux, restaient fidèles à leurs mixtures concoctées à base de poudre de rose blanche, de cannelle, de muscade et de clou de girofle. Ceux qui avaient les moyens mariaient le cacao à l'ambre de cachalot, ce qui complétait ses vertus virilisantes. Toute la Cour d'Espagne fut ainsi convertie à ce nectar du péché, et ce, bien plus rapidement que les Indiens par le catholicisme. Voici ce qu'en dit Brillat-Savarin :

« Les dames espagnoles du Nouveau Monde aiment le chocolat jusqu'à la fureur, au point que, non contentes d'en prendre plusieurs fois par jour, elles s'en font quelquefois apporter à l'église [...] et le révérend père Escobar, dont la métaphysique fut aussi subtile que sa morale était accommodante, déclara formellement que le chocolat à l'eau ne rompait pas le jeûne... »

Le savoir lumineux du saint homme permit ainsi de trouver un compromis acceptable et d'éviter les désertions pendant les jours de carême. Lors des périodes de jeûne et de pénitence, le chocolat pouvait donc continuer à satisfaire les femmes assoiffées, tout en les rendant amoureuses.

Si les Français ont pu bénéficier des bienfaits de ce breuvage, ce fut bien grâce aux amours de leurs rois. Louis XIII et Louis XIV qui avaient en effet épousé des princesses espagnoles connurent toutes les vertus de cette boisson, à la grande joie de leurs favorites. Madame de Sévigné en fut conquise dès la première gorgée :

« Je pris avant-hier du chocolat pour digérer mon dîner, afin de bien souper ; et j'en ai pris hier pour me nourrir et pour jeûner jusqu'au soir : voilà en quoi je le trouve plaisant ; c'est qu'il agit selon l'intention. »

Elle le recommanda expressément à sa fille en ces termes élogieux : « *Si vous ne portez point bien, vous n'avez pas dormi, le chocolat vous remettra...* » Un mois plus tard, cette appréciation changea néanmoins brusquement et le chocolat devint responsable de « *tous les maux qu'on a...* ». Des rumeurs disaient même qu'une certaine Marquise qui en avait trop absorbé lors de sa grossesse, « *accoucha d'un petit garçon noir comme le diable et qui mourut !* » Mais heureusement, d'autres rumeurs vinrent innocenter notre adorable friandise.

Tout au long de son histoire, le chocolat inspira la passion et les préjugés les plus irrationnels. Même le grand botaniste Linné, enthousiasmé par ce produit, classa le cacaoyer dans le genre des « *théobroma* », ce qui signifie « aliment des dieux ». Le chocolat rendit certes les humains heureux, mais il participa aussi, selon la rumeur, aux intrigues les plus sournoises.

Ne chuchotait-on pas à Versailles, que c'était un chocolat suspect, mijoté par Fagon, médecin de la Cour, qui aurait précipité la mort de Marie-Thérèse ? Ce qui n'empêchait guère Madame de Maintenon d'en boire, il est vrai. Mais par prudence, elle préparait elle-même sa mixture. Les révolutionnaires ne manquèrent pas non plus de profiter de la gourmandise de la Reine pour montrer que la Cour se gavait de chocolat tandis que le peuple n'avait pas de pain ! Mais les ardeurs de l'Assemblée Constituante et du Consulat ne résistèrent pas non plus au charme de cette bouillie aztèque. La chocolatière antillaise de l'Impératrice Joséphine possédait même des recettes réputées efficaces. Mais malgré son dévouement, elle ne parvint tout de même pas à réveiller les ébats un peu refroidis du couple impérial.

Comme il fallait s'y attendre, ce don des dieux Mayas ne manqua pas d'attirer le fin palais de Brillat-Savarin. Le pape de la gastronomie le conseilla toujours aux personnes épuisées par la coupe de la volupté. Il écrit dans *La Philosophie du goût* :

> « *Heureux chocolat, qui après avoir couru le monde, à travers le sourire des femmes, trouve la mort dans un baiser savoureux et fondant de leur bouche.* »

Mais le chocolat renferme-t-il vraiment des composants aptes à « *exciter les ardeurs de Vénus* » comme le prétendait Lemery ? Diderot conseillait, lui, d'en boire avec circonspection, après s'être enquis des épices qui le composaient. De son côté, entièrement conquis par le divin chocolat, Gage le considérait comme le plus merveilleux des stimulants.

Les recherches biochimiques qui ont été menées sur cette denrée laissent penser que ses arômes, lorsqu'ils ne sont pas falsifiés par des poudres de café, présentent des effets excitants qui agissent à la manière des parfums de truffe. Ils charment directement les circuits du rhinencéphale, le centre de l'odorat et des émotions. Un nuage de désir se dessine aussitôt et pousse l'audace au zénith, sous l'alchimie des hormones et des neurotransmetteurs libérés. Alors les sentiments bouillonnent et mettent l'imagination au service du corps envoûté.

Le cacao contient en outre des composés de phényl-éthylamine. Cette substance, amplifiée par la caféine, la théobromine et les méthyl-pyrazines, stimule le cerveau comme le font les drogues d'amphétamines. A son appel, les cellules nerveuses s'activent et leurs ondes électriques entrent en transes. Les sensations éclatent et demandent à s'exprimer. Mais le chocolat nous mène d'abord par le nez avant de diriger le sexe. Le phényl-éthylamine se mute en vapeurs d'aldéhydes, et surtout en molécules d'isovaléraldéhyde, qui, par la voie nasale, offrent aux sens la joie et la tentation.

Curieusement, nous savons depuis les travaux du Dr Michael Liebowitz qui furent menés au laboratoire de l'Institut de Psychiatrie de New York, que la phényl-éthylamine existe normalement dans le cerveau. Son rôle consiste justement à faire palpiter les émois. L'apport du chocolat, avec son phényl-éthylamine prolonge donc le temps de l'excitation, accentue la perception sensorielle et hâte l'éclosion de la jouissance. Mais tout ne marche pas aussi facilement, de nombreuses personnes y sont indifférentes tandis que d'autres ne jurent que par ces tablettes suaves. Cette différence s'explique par l'efficacité enzymatique des premiers, capable de détruire rapidement le phényl-éthylamine tandis que les seconds ne synthétisent pas suffisamment cette molécule et trouvent dans le chocolat ce qui leur fait défaut.

Que les personnes qui se plaignent par ailleurs d'embonpoint se tranquillisent. Le chocolat ne renferme pas de cholestérol comme on le prétend car le beurre de cacao, qui est d'origine végétale, n'en contient pas. Tout l'art consiste donc à en savourer sans commettre d'excès.

Orchidée et vanille, muses du testicule

Bien avant de découvrir les étonnantes vertus de la vanille, nos ancêtres savaient déjà que les orchidées pouvaient donner des sensations câlines. Hommes attentifs et pleins d'imagination, ils pensaient que la main divine était là pour leur indiquer les propriétés salutaires de chaque plante prévue par la Création. Convaincu que « *Dieu a inscrit sur les plantes, herbes et fleurs, des hiéroglyphes, en quelque sorte la signature même de leurs vertus* », le botaniste anglais R. Turner affirma que le monde avait été créé pour l'Homme et en fonction de ses besoins.

Ainsi pensait-on qu'il existait une herbe médicinale correspondant à chaque partie précieuse du corps. Et il allait de soi que pour la verge, « l'organe le plus noble créé pour la génération », le Très Haut avait réservé bon nombre de remèdes dans la nature, afin que partout les hommes puissent s'en procurer et se multiplier.

Ainsi, la silhouette d'organe en érection de « *l'arum* » révélait-elle, à l'évidence, les vertus curatives de cette plante en cas d'impuissance ! En effet, la spathe et le spadice qui constituent l'enveloppe épaisse protégeant le bourgeon floral, se dressent fièrement dans l'air. Le « *phallus puant* », montrant fièrement son bout protubérant qui ressemble étrangement au gland d'un pénis sollicité, était aussi sans aucun doute le remède idéal pour une verge en panne. Cela est d'autant plus suggestif que ce champignon possède la faculté de s'allonger rapidement, pour atteindre sa taille maximale. De même, l'odeur de la « *rue-des-champs* », une plante vivace à fleurs jaunes qui rappelle curieusement celle du sperme, était-elle naturellement destinée par le Divin aux verges qui fonctionnent à sec. Dans sa bonté infinie, il fit même croître le « *nombril-de-Vénus* », une petite plante murale à feuilles charnues et arrondies couvertes d'un duvet nacré et dont l'aspect nous montre, avec un peu d'imagination, qu'elles sont susceptibles de réveiller les dames à « tempérament froid ».

Bien entendu, parmi tous ces prodiges dont l'homme fut gâté, le chef-d'œuvre reste incontestablement l'orchidée ! Voilà en effet une fleur aux mœurs peu avouables qui s'unit sans vergogne à un insecte et à un champignon à la fois, et ce, sous le nez de son pollen mâle. Elle s'ingénie même à inventer toutes sortes de séductions dans le but d'attirer ses amants.

Lorsque Darwin examina pour la première fois une orchidée de Madagascar dotée d'un éperon de trente centimètres dont son pollen n'a guère besoin, le savant émit l'hypothèse que son amant ne pouvait être qu'un papillon possédant une trompe de même longueur lui permettant d'atteindre les parties intimes de la fleur. Car, seul l'amant de ce ménage à trois possédait la clef adaptée. L'hypothèse de la conduite adultérienne de l'orchidée fut effectivement vérifiée par la suite. L'amant n'est autre qu'un petit insecte, « le sphinx », dont la langue mesure ni plus ni moins trente centimètres. La pièce à conviction était là. L'orchidée déploie alors tout son art pour charmer son amant, ou plutôt le tromper. Elle imite la couleur, le parfum, la morphologie et même la position amoureuse de la femme de l'insecte. Sans se faire prier, elle ouvre généreusement son calice de nectar dès que le sphinx s'y introduit. C'est là un véritable accouplement contre nature, unissant le végétal à l'animal, ce que le pauvre pollen, résigné, accepte sans mot dire. Il profite néanmoins de l'occasion pour pénétrer dans la chambre de sa femme, ignorant que d'autres amants, des champignons microscopiques, le suivent de près dans l'alcôve...

Ce qu'il y a de plus extraordinaire encore c'est que les racines de cette plante sont munies de deux boules dont la forme et les dimensions évoquent, sans ambiguïté aucune, celles des testicules ! Son nom, « orchidée », dérive du grec « *orkhidion* » qui signifie « petits testicules ». En prenant soin de doter cette plante de ces organes, le Très Haut révéla aux humains le remède idéal contre leurs ennuis sexuels. Il fallait être analphabète, inculte et insensible pour ne pas comprendre ce message divin.

C'est ainsi que l'orchidée, en dépit de sa toxicité, entra dès l'Antiquité dans la composition des philtres. Mais tout changea le jour où une orchidée nommée « vanille » fut offerte par le « grand Serpent à plumes » des Aztèques. Ce dieu païen supprima non seulement tous ses alcaloïdes toxiques, mais lui accorda en plus des parfums suaves, des cristaux de vanilline et d'héliotropine pour enchanter le sexe.

A l'origine, les indigènes s'étaient probablement aperçus du fait que ces longues gousses de vanille, semblables aux tresses de cheveux des indiennes, exhalaient, après fermentation, une senteur exquise alors que ses fleurs blanches ne sentaient rien. Lorsqu'arriva Christophe Colomb, les Aztèques pratiquaient déjà la monoculture de cette plante à laquelle ils vouaient une véritable passion.

Débarquée à Cadix avec son compère, le cacao, la « *vanilla* » mot qui veut dire « la petite gaine », séduisit d'emblée toutes les Cours de l'Europe. La Marquise de Montespan se baignait même dans de l'eau parfumée avec ces gousses, ce qui conférait à sa peau un parfum irrésistible. Si toutes les autres maîtresses du Roi-Soleil avaient connu ce secret, chacune d'elles aurait peut-être, comme notre adorable Marquise, donné naissance à huit enfants ! Louis XIV, bercé par cette magie odorante, décida de créer des plantations de vanille à l'île Bourbon. Chargé de cette haute mission, Colbert dépêcha en Guyane le Père Jean-Baptiste, un jésuite de Reims féru de sciences naturelles. Il avait pour mission de s'emparer de quelques plantes par la force des canons, si besoin était. Mais conquérir la fleur de l'amour n'était pas à la portée de n'importe qui, fût-il un botaniste.

Notre jésuite apporta pourtant des vanilliers à la Réunion, mais, à la déception générale, les gousses récoltées ne recelaient aucun arôme. Le botaniste ne savait pas qu'il existait plusieurs souches de vanilles. Et celle qu'il s'était appropriée appartenait à la variété de la « *vanilla inodora* » ! Colbert en fut furieux mais reconnut néanmoins avoir commis l'erreur de confier une affaire d'aphrodisiaque à un homme de Dieu.

Comme il faut de la patience en amour, on recommença donc avec une autre espèce. Le résultat hélas, ne fut pas plus brillant car le parfum de la vanille transplantée présentait plutôt une nuance muscadée. Les connaisseurs trouvaient surtout qu'elle n'encourageait pas assez le sexe comme la vraie vanille dont la vente était monopolisée par l'Espagne. En fait, il ne s'agissait pas de vanille, mais d'une variété voisine, le vanillon.

Après plus d'un demi-siècle d'hésitations, un troisième essai fut à nouveau tenté, et cette fois-ci, ce fut enfin de la vraie vanille que l'on découvrit, la discrète « *vanilla fragrans* » qui croît à l'ombre des forêts du Mexique central. On recréa à grand-peine les plantations et on acclimata la plante, achetée au prix fort. Mais hélas, au grand désespoir des planteurs, le vanillier ne fructifia pas. C'était tout simplement parce que ses anciens amants, indispensables et incontournables, n'étaient pas au rendez-vous. On réintroduisit donc l'insecte en question. Il s'agit d'une abeille mexicaine sans dard, mais on ignorait encore que d'autres larrons participaient à la noce ! L'abeille fut d'ailleurs décimée par les oiseaux de l'île et la fleur, non déflorée, resta vierge.

Ce n'est que par un beau matin de l'an 1830, que vint le baiser que cette Belle au bois dormant attendait depuis si longtemps. Le Prince charmant était un jardinier, il s'appelait Neumann. C'est lui qui eut l'idée géniale de se substituer à l'abeille ! Sa technique de pollinisation artificielle fut mise au point au Jardin des Plantes et diffusée dans le monde entier. Avec cette technique, l'homme devenait le chaînon manquant et déflorait lui-même l'orchidée, à la main, de façon à ouvrir la voie au pollen. Et depuis cinq siècles, cette fleur de l'amour resta fidèle.

Pris le soir, infusions et vins de vanille, rendent les amants impatients. Comme les substances volatiles de cette orchidée pénètrent dans l'organisme par toutes les voies, leur envoûtement peut être également produit par des crèmes ou des lotions, utilisées dans un bain ou en frictions. Pour certains, c'est surtout l'ambiance érotique, créée par le parfum de cette fleur qui reste inoubliable. La vanille peut rendre aussi fou que l'amour lui-même ! Elle grise les sens uniquement par la suavité de son arôme, qui l'eût cru ? A forte dose, elle peut aussi provoquer des intoxications. On observait ainsi jadis des cas de « vanillisme » chez les ouvriers qui maniaient ces gousses en milieu mal aéré. De nos jours, pollution chimique oblige, cette forme d'intoxication causant vertiges, maux de tête, vomissements et allergies cutanées, n'apparaît plus qu'avec de la vanille synthétique extraite de la pâte à papier !

Frisson de guarana

Alors que les conquistadors croyaient que le Nouveau Monde était dépourvu d'épices excitantes, ils s'aperçurent que ses habitants en possédaient beaucoup, mais d'espèces différentes et inconnues, lesquelles se révélèrent d'ailleurs de bien meilleure qualité !

Dans la forêt d'Amazonie, le grand lézard sacré adorait une plante grimpante dénommée guarana. Ils habitaient ensemble sur un grand arbre, le reptile dans son tronc et le guarana serpentant le long des branches. Ses feuilles formaient un cocon végétal qui veillait sur le sommeil de l'iguane. Car ce dieu fainéant passait ses journées à dormir, surtout quand il venait d'avaler un perroquet ou un crapaud géant !

Les Indiens Boroboro disaient qu'ils descendaient tous d'un même ancêtre, lequel n'était autre que ce lézard. Selon leur mythe fondateur ce reptile aurait sauvé l'humanité du déluge, de sorte que, ni l'Ancien Monde ni le Nouveau n'auraient échappé à ce baptême mythique. Le lézard eu ensuite pour charge de repeupler la Terre, c'est pourquoi le pauvre animal avait besoin de manger de temps à autre des fruits de guarana, le seul aliment qui soit capable de perpétuer sa virilité. Sans cela, et malgré les deux pénis qu'il possède, comme tous les reptiles, son déclin aurait amené l'extinction des Indiens. Malheureusement, ce que racontait la légende arriva vraiment puisque la déforestation actuelle a chassé et le lézard et le guarana.

Le guarana est une liane sarmenteuse de la famille des sapindacées. Mais les botanistes l'appellent plutôt « *Paullinia Cupana* », en souvenir du savant Paullini qui fut le premier à analyser cet aphrodisiaque des Amérindiens. Les feuilles de cette plante sont composées de cinq foliloles dentelées. Ses fleurs, disposées en grappes, sont tellement riches en chlorophylle que leurs pétales se colorent toujours en vert.

Quant à ses fruits, ce sont des capsules rouges qui contiennent chacune une graine ressemblant à un marron orné d'une tâche rouge. Les alcaloïdes de l'amande se composent de cupamine et de sorbilosides qui sont des combinaisons de sucre et d'aldéhyde sorbique lesquels ont pour effet de stimuler les nerfs, comme la caféine. En fait, ils ouvrent les canaux ioniques de nos cellules, ce qui fait que les ions de calcium s'y engouffrent, élèvent le niveau énergétique et déclenchent la décharge des molécules chimiques qui mettent tout l'organisme en état d'alerte.

C'est justement cette graine que recherchait le lézard sacré pour entretenir son érection. Il n'y avait donc rien d'étonnant à ce que les Boroboro aient depuis longtemps reçu la leçon de leur ancêtre-totem. Ils torréfiaient l'amande de la graine et la réduisaient en poudre afin d'obtenir une pâte avec laquelle ils confectionnaient des cônes ayant la forme d'un phallus brunâtre.

Ces boudins d'une dureté pierreuse avaient l'avantage de très bien se conserver, ce qui permettait, au moment voulu, d'en râper une cuillère et de la mélanger à du miel, à du café ou à du vin. Le guarana est inconnu des Européens, mais il règne en maître dans sa patrie. Les Latino-américains le considèrent même comme le plus puissant des aphrodisiaques. Pour les descendants des conquistadors, il n'y pas de doute à ce que seul le dieu des Boroboro soit capable de leur assurer une jouissance sans faille.

L'échinacea à l'état pur

L'échinacea est une petite plante herbacée que l'on désigne parfois sous le nom de « *rudbeckie* ». Nous ignorons en revanche comment les Indiens l'appelaient. Elle croît à l'ombre du guarana, et sans doute a-t-elle maintes fois tiré le fameux lézard de son asthénie, ce qui explique que les Boroboro l'aient souvent associée à leurs mixtures. Ils se servaient du rhizome de cette plante, en le pilant avec d'autres ingrédients, pour réaliser un cataplasme destiné à la verge fatiguée. Les rituels compliqués dont ils s'entouraient pour associer un traitement interne aux soins externes de l'organe laissent penser que ces Indiens avaient atteint là le stade le plus raffiné de leur organisation socio-culturelle.

Selon une coutume encore plus curieuse des Indiens Kraho, même les morts recevaient ce traitement inattendu. Bien que les défunts aient été emmenés par un monstre vers le pays où se couche le Soleil, ils continuaient néanmoins, grâce à la magie de ce cataplasme, à aider les vivants à procréer.

L'échinacea atteint environ un mètre de haut. Ses feuilles lancéolées à bout pointu présentent une surface rugueuse en raison de leur duvet rigide. Au sommet des longues tiges s'insèrent des petites fleurs orangées qui fructifieront en « akènes » (fruits secs indéhiscents). C'est le rhizome cylindrique de cette plante qui renferme des principes actifs : bétaïne, hormones végétales et échinosides, substances qui se sont révélées fort stimulantes pour la verge.

Voici comment les Indiens l'utilisent : ils coupent d'abord le rhizome en lamelles et après quelques jours de séchage, ils les broient de façon répétée afin de les réduire en fines poudres. La substance qui est ainsi obtenue est uniquement soluble dans la graisse. Les Indiens mélangent donc cette poudre à de l'huile juste avant la tendresse... Une fois appliqué sur le pénis, ce mélange permet la dilatation des vaisseaux au bout d'un quart d'heure. La verge rougit et se dresse sans peine. Cette érection assistée peut durer environ une heure, même quand l'organe a déjà accompli sa mission. Les échinosides paralysent en effet les messagers chimiques (la noradrénaline) des nerfs sympathiques de façon prolongée, laissant ainsi le terrain libre à l'acétylcholine des nerfs para-sympathiques chargés de dilater localement les artères et les veines. On a déjà signalé des cas d'abus où la verge n'arrivait plus à se calmer, ce qui entraînait une érection rebelle et douloureuse (le priapisme iatrogène). Le traitement dans ce cas consiste à frictionner doucement l'organe avec de l'huile, ce qui dissout les molécules irritantes.

Mais ce produit peut aussi être administré par voie orale. Dans la tradition latino-américaine, on fait ainsi bouillir 10 g de rhizome séché dans 250 ml d'eau pendant trente minutes. La décoction a un goût amer mais on peut la sucrer avec du miel et la boire en deux fois dans la journée : le midi et le soir. Les amateurs exigeants confectionnent un vin spécial à raison de 200 g de rhizome par litre de vin blanc car il semble que l'alcool renforce les vertus de la plante. On en prend alors un verre à liqueur, le soir. En cas d'overdose, ce breuvage peut faire perdre l'équilibre, provoquer des vertiges et risquer de décevoir la partenaire. La modération est donc de bon conseil !

La salsepareille meurt d'amour

Au temps où les fleurs et les bêtes parlaient, beaucoup de jeunes filles furent changées en plantes pour une simple question de cœur. C'est ainsi que la belle nymphe Minta, qui fuyait sans cesse les avances de Zeus, fut transformée en menthe par l'épouse jalouse et irritée de celui-ci. Depuis, cette plante charma toujours les hommes par son parfum et sa saveur. C'est ainsi que mourut aussi la ravissante Smilax qui renaquit ensuite sous la forme d'une herbe parfumée. Daphné connut à son tour le même sort, préférant se transformer en laurier plutôt que de souffrir les frivolités d'Appolon. C'est peut-être aussi pour ces raisons que les botanistes classèrent dans la famille de Smilax, un petit lys américain que nous appelons « Salsepareille ».

Selon les mythes de la civilisation mixtèque de l'ancien Mexique, cette plante était à l'origine la fille de la déesse Tlazolteotl, une divinité de la moisson et des épousailles. Voulant rester fidèle à son amant qui était le dieu du maïs, elle refusa de partager la couche de Tezcatlipoca, le monstre redouté des Indiens. C'est pour cette raison qu'elle fut métamorphosée en salsepareille.

La salsepareille garde de ces tristes souvenirs des taches qui ensanglantent ses feuilles en forme de cœur blessé. Ses fleurs, qui sont d'une blancheur virginale, donnent des fruits écarlates. Même ses racines portent des stries de sang dans lesquelles coulent la sève de la passion. Cette dernière est composée de sarsasaponosides, de rhamnoglucosides et de sarsasapogénine. Quand cette plante arriva en Europe, la médecine la prescrivit contre la syphilis. Raisonnement logique... puisqu'elle avait refusé l'amour, elle devait sûrement guérir la maladie due à l'amour !

Curieusement, la salsepareille agit différemment chez l'homme et chez la femme. Ses phytostérols a effet œstrogénique gonflent les seins et font sécréter les glandes vaginales, tandis que ses senteurs réveillent les centres érogènes du cerveau. Chez l'homme, ses alcaloïdes se comportent comme des toniques musculaires puissants tout en exaltant la perception sensorielle. Ses disciples inconditionnels prétendent qu'une décoction de cette plante augmente la durée de l'orgasme, ce qui reste à voir, ou plutôt à essayer...

La préparation demande que l'on fasse bouillir 20 g de racine sèche dans un litre d'eau pendant une heure. Il est aussi conseillé d'y ajouter 20 g de racine de réglisse, sa complice dévouée. A la place de la réglisse, les puristes préfèrent employer la même quantité d'écorce de « *muira puama* », un arbre majestueux de la forêt guyanaise, riche en phytostérol et en muirapuamine. Les populations de l'Amérique du Sud estiment qu'un extrait fluide de ce végétal procure des effets érotisants en usage aussi bien externe qu'interne. Il semble que l'amine de la *muira* force l'organisme à lutter contre la lenteur des réactions en déclenchant la décharge des surrénales. Face à cette situation déplaisante, les glandes répondent brutalement en décuplant l'énergie disponible (sucres, oxygène, adénosine-triphosphate...). Tout le corps est alors mis en état d'alerte.

Après le filtrage de la décoction, on en boit une tasse, deux fois par jour, pendant une semaine. Il existe aussi des sirops spécialement composés dans ce but que l'on prend à raison de deux cuillerées à soupe, midi et soir. Une solution idéale pour les amoureux pressés.

L'infatigable turnère

Tous les Indiens de l'Amérique, qu'ils soient de tribu Kamayura, Jé, Tapirapé ou Javajé, qu'ils habitent l'Amazonie ou la Colombie, sont unanimes quant aux vertus incomparables de la turnère. Cette plante herbacée n'a en effet jamais déçu ceux qui lui demandaient remède et secours. Sa célébrité est telle que même les botanistes de l'Ancien Monde lui décernèrent ce titre de noblesse « *turnera aphrodisiaca* » après l'avoir sûrement testée mille fois.

La turnère pousse surtout dans les zones arides de l'Amérique centrale. Cette petite plante d'à peine quarante centimètres n'a apparemment rien de bien solide. Ses feuilles triangulaires, pâles, minces et pendantes, n'impressionnent personne. Et pourtant ! Qui aurait pu croire que ses alcaloïdes possèderaient le pouvoir diabolique d'enflammer le sexe d'une façon aussi extraordinaire ! Ses infusions sont aussi très appréciées des dames. Elles réchauffent leur cœur quand elles se sentent peu disposées et les mettent en forme avant et après la tendresse.

Selon la coutume, les sorciers Indiens ne cueillaient que les feuilles qui commençaient à jaunir. Ils leur enlevaient leurs nervures et les faisaient sécher avant de les broyer. Les principes actifs de la turnère sont des albuminoïdes, dont les turnérones à effets prolongés. Ils sont potentialisés par la synergie des huiles essentielles présentes dans la plante (cymol, cinéol, lutéolol et diverses acides gras non-saturés). En plus de son efficacité universellement reconnue, cette plante a aussi le mérite de ne présenter aucune toxicité lorsqu'elle est consommée selon les doses réglementaires.

Ses infusions, décoctions, pilules et extraits fluides se révèlent tous aptes à inspirer des prouesses originales et créatives lors des ébats. Ils favorisent en effet la coordination des circuits érogènes du système nerveux central, de la moelle épinière au cerveau, orchestrant ainsi le concert des hormones, neurotransmetteurs, enzymes et ondes électriques. Conjointement, ils amenuisent les effets des centres frénateurs de ces réseaux. Les muscles sollicités se contractent ainsi de façon prolongée. Tout se passe comme si certaines substances de la turnère possédaient des propriétés semblables à celles de la stychnine dont l'existence n'a pourtant pas encore été prouvée.

La prescription la plus courante en herboristerie consiste à prendre trente gouttes d'extrait fluide de « *damiana* », nom populaire de la turnère, trois fois par jour. Ce produit a un goût amer et résineux, mais un parfum agréable. On le dilue avec un peu de miel.

L'infusion est facile à préparer. Il suffit de laisser mijoter vingt-cinq grammes de feuilles séchées de turnère (ou de damiana), pendant trente minutes dans un litre d'eau bouillante. La dose habituelle reste d'une tasse à chaque repas. Cette préparation a par ailleurs des propriétés diurétiques notoires. La vessie, une fois remplie, contribue aussi et indirectement à renforcer l'érection, mais ce mécanisme est souvent gênant. Beaucoup préfèrent les pilules ou les gouttes qui ne présentent pas de tels inconvénients. La turnère est donc à la fois tonique, expectorante et exaltante pour les deux sexes.

Mais en dépit du dévouement exemplaire de cette modeste turnère, les contestataires et les insatisfaits ne manquent pas. Beaucoup, par exotisme ou par curiosité, préfèrent recourir au poivre de la Jamaïque qui est vanté par ses adeptes comme une « arme absolue ». Mais cette plante, qui appartient aussi à la famille des myrtacées, renferme dans ses baies des hydrocarbures et des poly-alcools (polygodial et sédridine) dont les effets irritants peuvent nuire à l'estomac comme aux parties sensibles, si bien que le plaisir se mute soudain en supplice.

CHAPITRE VII

L'ART DE SOIGNER LA VERGE AU SIÈCLE BAROQUE

Le choc des cultures

Ce qu'enseigna la découverte du Nouveau Monde à nos ancêtres, c'est que la nature ne correspondait pas tout à fait aux archétypes qu'ils s'étaient forgés. La curiosité, l'ambition et l'appât du gain les avaient poussés chaque jour vers des horizons encore plus lointains, plus surprenants et plus prometteurs aussi. A la fin de leurs périples ils n'avaient certes pas trouvé autant de richesses qu'ils l'avaient imaginé mais ils commencèrent à douter, à s'interroger et à comparer la réalité des faits avec leurs dogmes immuables et étouffants.

Tout, désormais, devait faire l'objet d'une étude objective soumise à la critique et à la réflexion. A l'aube du XVIe siècle, l'Europe était déjà bien engagée dans la voie de la Renaissance, une authentique révolution culturelle qui bouleversa non seulement le domaine artistique, mais encore la façon de penser et de concevoir les choses. Au cours des trois siècles suivants, rationalisme et observation remplacèrent petit à petit les superstitions et l'obscurantisme.

La longue marche de la science fut à la fois lente et pénible, voire désespérante. Mais rien, aucune force, aucun système, même pas le tout puissant Tribunal de l'Inquisition, ne purent entraver l'éclosion de la raison. Certes, des générations entières durent combattre en vain sans apercevoir la moindre lueur d'espoir mais leur courage et leur originalité aidèrent néanmoins l'humanité à franchir les ténèbres de l'ignorance. En 1538, l'anatomiste flamand Vésale brava l'interdit. Il risqua sa vie en disséquant pour la première fois des cadavres et publia sa monumentale étude d'anatomie. C'est ainsi que l'on inaugura la première approche anatomique de la dimension humaine.

Un autre « *maître du soupçon* » à l'esprit aussi radical que rebelle, le médecin espagnol Michel Servet découvrit les principes de la petite circulation. Il démontra contre vents et marées que le sang part du cœur droit et passe dans les poumons avant de retourner au cœur gauche. Mais, pour avoir repoussé le dogme de la Sainte Trinité, il fut brûlé vif à Genève, par Calvin. Partout germait déjà la pensée scientifique qui, des siècles plus tard, apporta les réponses les plus satisfaisantes aux questions que l'homme s'est toujours posé sur sa sexualité et sur sa vie.

L'instrument qui permit une vision plus approfondie de la nature fut incontestablement le microscope. Inventée un siècle plus tard par Van Leeuwenhoek, un opticien hollandais, cette innovation technique changea du tout au tout la conception que l'on avait de la procréation. C'est à l'aide de cet appareil que le botaniste anglais N. Grew examina l'organe reproducteur des plantes, ce qui fut un prélude à la compréhension de celui des animaux.

Les tribulations d'un spermatozoïde

Un jour, en examinant au microscope le sperme des animaux, on s'aperçut que quelque chose y grouillait. On aurait dit de minuscules bêtes s'agitant sans cesse. On découvrit de plus la même chose dans le liquide séminal de l'homme ! Nos aïeux ignoraient qu'ils observaient là des cellules vivantes de leur corps que personne n'avait vues auparavant. Ils furent si surpris et si émerveillés qu'ils se représentèrent chacun de ces animalcules comme un petit vieillard portant une longue barbiche !

Le spermatozoïde était né, il fut aussitôt promu à la gloire universelle et on le promena dans toutes les Cours d'Europe, tel un animal de cirque. Partout, on l'accueillit en grande pompe, rois, reines, princes et princesses, et même les cardinaux... se pressèrent autour du microscope pour voir à quoi il ressemblait. Ce fut hélas une déception car il n'avait rien d'extraordinaire pour plaire, ni rien d'excitant pour amuser. Après les palais et les châteaux, le spermatozoïde tenta de séduire les dames dans les salons et finit par échouer dans les fêtes foraines où il divertissait le public.

Personne ne le prenait vraiment au sérieux et les docteurs des Universités encore moins. On le ridiculisait et le méprisait même, pensant, au siècle des Lumières, qu'il était absolument indécent de prétendre que l'homme, la plus noble des créatures divines, pût descendre d'un vermisseau aussi minable ! Le spermatozoïde entra alors dans l'ombre et endura la misère d'un déclin qui dura plus de deux siècles, en attendant les progrès de l'optique et de la biologie.

Entre-temps, on se tourna vers d'autres voies y compris les tentatives les plus extravagantes, dans l'espoir de trouver quelqu'explication digne de l'homme ainsi que des remèdes plus efficaces. On se mit à étudier les aliments et les épices susceptibles de réchauffer le sperme, car on pensait que tout liquide séminal froid finissait par rendre son propriétaire impuissant et provoquait la procréation d'une fille ! Voici ce qu'affirmait par exemple une thèse de la Faculté de Médecine de Paris, en 1617. Le docteur Thiébault disait qu'une bonne semence se voyait et se sentait de loin :

> « *Elle est crasse, non liquide ny séreuse : mais visqueuse, blanche, globuleuse [...] sentant l'odeur des fleurs de palme de jasmin...* ». Elle attire même les mouches « *qui voltigent joyeusement [...] et se paissent avidement.* »

D'autres savants, un peu moins misogynes, professaient qu'il fallait aussi allumer le feu de la matrice pour aider à procréer un fœtus mâle ! Ce faisant, ils redoutaient néanmoins que les flammes intérieures ne rendissent la femme lascive : « *Une femme qui fait trop d'amour devient moins féconde* ». Sa matrice qui est excessivement chaude se contracte et chasse la semence. Aussi conseillait-on au mari d'enduire le col de sa femme d'huile de musc pendant une heure. Au-delà de cette prescription les femmes risquaient de devenir « *barbues, hautaines et félonnes* » et leur « *voix grosse* » trahissait le fait qu'elles « *sentent des chatouillements et titillations vénériennes en leurs parties honteuses, avec ardent et grand prurit...* »

Tous croyaient dur comme fer que seule une verge en pleine splendeur pouvait, dans ce cas, procréer un garçon.

De la puissance à tout prix

En ce siècle, superstitions, préjugés, fantasmes et fantaisies se donnaient libre cours, autant dans l'interprétation de la physiologie sexuelle des hommes que dans les moyens visant à corriger les éventuelles imperfections de l'organe. Pour ces visionnaires d'antan à la fois romantiques et mystiques, la verge avait une aura étrange et fascinante. Il était donc logique que leurs remèdes provinssent avant tout de leur imagination. Rêves et poésie, audace et curiosité s'y confondaient en une sorte de féerie cherchant uniquement à exalter le mythe d'un membre toujours menacé, que l'on voulait absolument éclatant.

C'est ainsi que d'après la conception mécaniste de l'époque, seule une verge longue pouvait échapper à la lassitude. On essaya donc de l'allonger en y suspendant du plomb, après l'avoir gâtée de plusieurs onctions à l'huile de castor, appliquées par des mains expertes. Le poids de certains cataplasmes de pénis remplissait également le même rôle. Si l'organe restait toujours indifférent, il convenait alors de l'ébranler avec du lait de chèvre ou des décoctions de poivre ! Le bon docteur Thiébault préconisait, lui, le safran qui est plus doux et plus esthétique.

Et, comme prévenir valait mieux que guérir, on conseillait aussi aux femmes enceintes de manger beaucoup de viande, afin que le fœtus dispose de suffisamment de matière pour faire pousser son bijou. Ces mesures de prévention s'appli-

Roger-Viollet

Anonyme, dessin érotique (détail).

quaient également aux nourrices, dont la ration de vin, de bière, de lait, de beurre et de ragoût devait être doublée.

Plus tard, une verge qui tardait à grossir relevait du traitement par sangsue. Appliqué sur le dos de l'organe, le ver en aspirait le sang et y attirait le souffle vital qui le faisait gonfler. Dans le cas de personnes âgées, on adoucissait cette thérapeutique énergique en remplaçant les sangsues par des vers de terre.

Ambroise Paré, qui fut le chirurgien-barbier de trois rois de France, fut aussi un grand spécialiste de verges monstrueuses, tordues, ou bossues (en forme de massue, de tire-bouchon, à tête fendue ou aplatie). Il perfectionna un montage orthopédique, muni d'un bourrelet à épaisseur variable, dans lequel on faisait passer le membre dès que la passion faisait ressentir son feu. Ce dispositif ingénieux, fixé sur les cuisses de la femme par des rubans, permettait de maintenir l'axe viril tout en évitant les faux pas de la verge.

Pour les verges rebelles, il existait un autre traitement héroïque consistant à faire piquer l'organe endormi par une abeille dressée dans ce but par des apiculteurs toscans. C'était une technique qui, à coup sûr, faisait sursauter tout membre plongé dans la torpeur. Mais il y eut aussi les maîtres de la « *pilule pour bander* », qui étaient et sont encore les Italiens. Ils avaient en effet, depuis l'époque de la Renaissance, développer le commerce des aphrodisiaques à travers les pays d'Europe et d'Amérique. Et ce, en dépit des interdits de l'Église.

En général, chaque nouvelle pilule faisait fureur dès sa sortie, puis, lorsque ses effets commençaient à diminuer, on la substituait par une autre innovation. Ce ne sont ni les idées, ni les recettes inédites qui manquèrent ! Florence et Venise possédaient un véritable quartier où l'on confectionnait ces poudres de perlimpinpin pour le bonheur de nos ancêtres. Certains de leurs composants connus étaient la rhubarbe, le cassis, le musc, la graisse de baleine, de bison, de castor, de civette ou de bouquetin, mais aussi des doses homéopathiques de champignon. Il s'agissait probablement de la redoutable *amanite tue-mouches* dont l'alcaloïde euphorisant, le muscimol avait déjà été exploité par les sorcières du Moyen Age.

L'éternelle Rome n'était pas non plus ignare en la matière. Parmi les ingrédients qui composaient ses pilules, treize plantes avaient la réputation d'inciter au jeu de l'amour : l'auronne, l'ortie, la rouquette, le panais, l'aneth, l'estragon, le cresson, le persil, l'oignon, la fève, le poireau, la noix et le pignon. Il était ainsi interdit aux soldats de manger de la salade de rouquette, par crainte des désordres qu'elle causerait. Les évêques, plus chanceux, pouvaient en consommer. Les religieuses ne plantaient pas non plus de panais, car ce légume inspirait la luxure : « *et de la femme, il rougit la ceinture* ». En revanche, on servait du vin de persil aux jeunes mariés et l'on plaçait une branche d'auronne sous leur lit. Ces moyens, somme toute modestes, étaient censés encourager la copulation et rendre la femme féconde.

Il existait même une liste noire comprenant les noms de huit produits surnommés « *herbes des eunuques* ». Nénuphar, glaïeul, pourpier, cornichon, houblon, tilleul, bergamote et pissenlit étaient réputés pour dessécher la semence, et le vinaigre pour aigrir les testicules. La seule façon de les réconforter était de manger de la figue *(fica)*.

Les gens fortunés se payaient quant à eux des super pastilles contenant un mélange de pistache, de sésame, de pois chiche et même, dit-on, de poudres de momie et de pierres précieuses ! C'est à croire que ces ingrédients défiant le temps, représentaient des valeurs sûres pour une virilité éternelle. Les courtisans murmuraient que le Cardinal de Richelieu en raffolait. Il possédait un stock impressionnant de ces variétés de pastilles galantes qui lui avaient été offertes par ses innombrables admirateurs et admiratrices. Afin de concurrencer les Italiens qui détenaient le monopole des aphrodisiaques, notre grand homme d'État aurait même ordonné la production de pastilles françaises encore plus efficaces, lesquelles eurent l'honneur de porter son nom. Les fameux « *Bonbons à la cantharide de Richelieu* » étaient réputés pour être infaillibles parce qu'ils renfermaient les ailes d'une mouche mystérieuse, capables d'élever la verge au septième ciel ! Jusqu'à la veille du XXe siècle, la pilule du Cardinal ne perdit rien de son éclat, grâce à sa rareté et à son prix.

Vous avez dit truffe ?

Brillat-Savarin fit remarquer, à propos de la truffe, ce « *diamant noir de la cuisine* » :

> « *Qui dit truffe prononce un grand mot qui réveille des souvenirs érotiques et gourmands chez le sexe portant jupes et des souvenirs gourmands et érotiques chez le sexe portant barbe.* »

Chaque fois que l'on évoque ce champignon sorcier, le désir dormant inévitablement se réveille, le grincheux sourit, l'hésitant se décide et le gourmand se pourlèche...

La truffe est connue depuis l'Antiquité. Les Romains l'ont toujours appréciée, à table comme au lit. Elle constituait à leurs yeux l'un des mets les plus délicats, digne des meilleurs festins et des orgies les plus mémorables. De tout temps, sa fragrance enchanta le nez et le sexe. Les initiés qui eurent la chance de la connaître estimaient que rien n'égalait le charme de ses arômes, seuls capables de faire éclore les sens et l'esprit. C'est pourquoi la tradition fit de ce champignon noir l'œuvre du Diable.

Écoutons un instant Alphonse Daudet qui sut si bien nous faire partager ce délice :

> « – *Deux dindes truffées, Garrigou ?...*
>
> – *Oui, mon révérend, deux dindes magnifiques bourrées de Truffes. J'en sais quelque chose puisque c'est moi qui ai aidé à les remplir. On aurait dit que leur peau allait craquer en rôtissant, tellement elle était tendue...*

– Jésus Maria ! Moi qui aime tant les Truffes !... Donne-moi vite mon surplis, Garrigou...
– Vous serez au moins quarante à table... Ah ! Vous êtes bien heureux d'en être, mon révérend !... Rien que d'avoir flairé ces belles dindes, l'odeur des Truffes me suit partout.
– Allons, allons, mon enfant. Gardons-nous du péché de gourmandise, surtout la nuit de la Nativité. »

(« Les trois messes basses », in *Les Lettres de mon moulin*)

Il est aisé de comprendre toute la signification du dicton : « *Ta femme, tes truffes et ton jardin, garde-les bien de ton voisin* » lorsque l'on sait combien la truffe est chère, rare et prisée. Et de fait, un producteur de truffes avisé ne confiera jamais ce qu'il a « truffé », de même qu'il n'ira jamais vendre toute sa récolte au même marché. Prudence oblige ! Il n'étalera pas non plus la totalité de sa richesse, il n'exhibera qu'une ou deux corbeilles, quitte à prévenir, *sotto voce*, qu'il y en a autant dans la voiture, loin des curieux. Il arrive même que des quantités importantes de truffes changent de main, par de mystérieuses migrations nocturnes, pour ne pas réveiller la jalousie ni révéler l'endroit de la récolte. D'ailleurs, les transactions se font toujours au comptant et en liquide, à l'abri des regards indiscrets.

Mais d'où vient donc cette fabuleuse truffe que Colette qualifiait de « *gemme des terres pauvres* » ?

Un conte du Périgord raconte que par une terrible nuit d'hiver, une vieille femme toute grelottante et en haillons demanda l'hospitalité à une pauvre famille de bûcheron. Le brave homme lui offrit alors tout ce qu'il y avait à manger dans la maison, c'est-à-dire quelques petites pommes de terre. C'était bien peu mais ils partageaient néanmoins ce maigre repas lorsque, tout d'un coup, les tubercules devinrent noirs et bosselés et exhalèrent un parfum incomparable. A la grande joie des enfants affamés du bûcheron, les pommes de terre avaient été transformées en truffes ! La visiteuse était en réalité une sorcière.

Depuis, la bonne fée du Périgord réapparaît chaque année en hiver et la sagesse populaire rappelle :

« Avant les gelées, la truffe n'est pas faite ; après la gelée, elle est vite prête. »

Un autre dicton conseille également ceci : « *En janvier, amasse les truffes dans ton grenier.* » Les meilleures truffes mûrissent en effet en décembre, janvier et février. Mais seules les premières méritent le nom de « muses », en souvenir de la sorcière qui cisela ces minuscules cristaux à six facettes.

Plus discrète encore que la violette, la truffe naît, grandit et meurt cachée dans le sol, à une dizaine de centimètres de profondeur. Son nom d'état civil : « *tuber melanosporum* », nous apprend qu'elle n'est autre qu'un champignon noir souterrain, vivant en ménage avec un arbre. Et chaque année, la nature remet en scène ce conte merveilleux. La truffe joue le rôle de la bonne fée, tandis que l'arbre représente le bûcheron généreux.

Dès que sourit le printemps, la truffe se met à solliciter l'arbre qu'elle a choisi pour amant. Il s'agit souvent d'un chêne. Son entreprise de séduction commence par la multiplication de ses cellules, les asques, dont chacune renferme des spores en forme de ballon de rugby. Rapidement, des ramifications (les hyphes) se tissent et forment un filet dense (le mycélium) qui enlace les racines du chêne. Réchauffée par le soleil de l'été et arrosée par la pluie, la truffe caresse le bout de chaque radicelle et la couvre d'un capuchon en forme de doigt. « *S'il pleut au mois d'août, la truffe est au bout* » indique d'ailleurs le proverbe.

Dans ce mariage intime, elle s'accroche à son amant et s'insinue dans ses moindres fentes. Leur fusion forme une masse que l'on appelle mycorhize. A travers ces curieuses étreintes, les amants échangent leur sève. L'arbre nourrit ainsi sa belle de substances organiques provenant de la photosynthèse des feuilles. En échange, la truffe puise les éléments minéraux du sol qui revigoreront son amant. Vers l'automne, le fruit de cette liaison silencieuse se concrétise par la naissance de nombreux enfants (les pelotons du primordium). Chacun d'eux se métamorphosera en truffe si l'été n'a pas été trop sec. La maturation s'échelonne après les premières gelées de l'hiver, selon les espèces et les conditions du milieu. Mais il arrive que la truffe ne réussisse pas à rencontrer son chêne bien aimé. Ce sera alors un noisetier, un tilleul, un châtaignier, un tremble, un bouleau ou un pin qui profitera de l'occasion, si d'avance elle ne succombe pas à l'élégance d'un charme.

De mi-novembre jusqu'à fin mars, deux fois par semaine, les chasseurs de truffes, que la tradition appelle « *caveurs* » ou « *rabassiers* » (du provençal « *rabassaïres* »), investissent les truffières avec leur chien. Autrefois, on se laissait guider par la truie mais cet animal manquait de délicatesse. Elle défonçait le sol de ses pattes et de son groin, dévastant les « nids » des amants tranquilles et compromettant la récolte ultérieure. Il existe en fait des indices qui trahissent la présence des truffes. Autour de certains arbres, la terre paraît calcinée. C'est le « brûlé » où subsistent quelques fétuques, fougères et sédums. Pline avait déjà remarqué ce phénomène dans l'Antiquité et il croyait que la truffe ne poussait que sous les arbres dont la terre avait été frappée par la foudre. Mais ce sont en fait des substances produites par ces amants jaloux, désireux d'éloigner les intrus. Par cette stratégie, ils empêchent les autres arbres de pousser dans leur voisinage tout en réservant pour eux l'eau et les minéraux disponibles.

Pourtant, la présence de traces de brûlé ne signifie pas toujours que la récolte sera bonne. La fructification peut être rare ou tardive, voire absente, selon les caprices de l'amour. Même la truffe la plus modeste résulte toujours du travail inlassable de plusieurs milliards de champignons minuscules et d'une attente de huit à dix ans. Sa formation est lente, puis brusquement elle se met à grossir. Rien qu'au sud de l'Europe, plus de trente espèces de truffes sont cultivées. Mais le titre de reine revient incontestablement à la truffe du Périgord. Son parfum, presque animal et légèrement musqué, est une véritable symphonie composée d'une centaine de substances aromatiques. Il contient aussi plusieurs hormones végétales dont quatre des plus connues sont également présentes dans le céleri et le panais. C'est ce parfum particulier qui distingue nettement ce gemme du Périgord de l'odeur aillée de la truffe blanche du Piémont, classée en deuxième position.

La truffe imite en fait le verrat en sécrétant plusieurs de ses hormones sexuelles, et en particulier le 5-alpha-androsténone, ce qui excite l'odorat de la truie. Sa concentration, à raison de cinq nanogrammes par gramme de truffe, voisine même celle de l'hormone mâle dans la salive et le sang du verrat ! Mais ses autres arômes, constitués à base d'aldéhydes, d'alcools, d'éthers et de composés de soufre, font aussi remuer la queue du chien et attirent les mouches. Ces animaux détectent quasiment 95 % des truffes enfouies alors que les appareils sophistiqués à infra-rouge, à photo-ionisation ou semi-conducteurs, ne se révèlent efficaces que dans 40 % des cas. Il est vrai que l'homme ne pourra jamais doter ces engins d'un instinct sexuel. Par contre, en émettant ses molécules volatiles, des phéromones, la truffe fait chanter le désir du gourmet qui la goûte. Ces hormones sexuelles sont par une pure coïncidence les mêmes que celles que l'on retrouve dans la salive, la sueur et l'urine de l'homme. Le peu qu'il en savoure accentue donc encore plus ces émissions d'hormones vers la partenaire.

Curieusement, ce ne sont ni la truffe ni le chêne qui synthétisent ces hormones de la tentation, mais les autres amants de cette coquine de truffe, des champignons microscopiques. Ils la courtisent discrètement et partagent ses faveurs, malgré la jalousie de l'arbre. Lorsqu'elle est privée de ces liaisons frivoles, la truffe ne s'épanouit pas. C'est ainsi que l'on trouve des truffes géantes dans le Sahara et en Arabie, qui ressemblent à des fleurs sans parfum.

Tendre champagne

A la différence des plantes et des épices que l'on trouve dans la nature, le vin apparaît comme le seul aphrodisiaque que l'homme ait créé lui-même. Il est même considéré comme l'unique et la plus ancienne des substances à laquelle l'homme soit toujours resté fidèle, chaque fois que sa virilité le nécessitait.

C'est à croire que ce breuvage excitant ne décevait jamais ses admirateurs ! Dès que le processus de la fermentation fut découvert, il y a plus de 9 000 ans, les propriétés euphorisantes du vin en firent aussitôt l'ami inséparable de notre joie, de notre bonheur et le stimulant le plus apprécié des amoureux. Pendant longtemps, cette liqueur était tellement rare qu'on la réservait uniquement aux dieux, prêtres et prêtresses dont l'union rituelle avec le profane visait à assurer la fertilité de la terre.

> *« O bienheureux celui qui, par une faveur du Destin, est initié au mystère des dieux ! Il sanctifie sa vie et le thiase exalte son âme sur les montagnes où il célèbre Bacchus par de saintes purifications. Heureux qui célèbre les orgies de Cybèle la déesse, suivant la loi divine ! Heureux celui qui brandissant le thyrse couronné de lierre, sert Dionysos ! Allez Bacchantes, allez Bacchantes ! Bromios, fils de dieu, emmène-les des montagnes de Phrygie aux cités florissantes de la Grèce. »*

C'est ainsi qu'Euripide célébrait la gloire de Dionysos, le dieu de la vigne, du vin et de la débauche qui était souvent accompagné de ses fidèles bacchantes.

A travers les millénaires, l'art de la vinification migra de la Mésopotamie vers le pourtour de la Méditerranée. Notre mot « vin » dérive ainsi directement du sumérien « *weino* » qui devint « *wns* » en égyptien et « *wajnu* » chez les peuples sémites. Les Hittites qui héritèrent aussi de cette technique de vinification appelèrent leur vin « wijana », mot duquel dérivent le proto-arménien « *wino* » et le slave ancien « *vinograd* ». En arrivant en Occident, le mot « *wino* » donna « vino » en latin, « *wein* » en langue germanique et « *wijn* » en flamand.

Dans toutes les religions, le vin est considéré comme une boisson d'origine divine. Selon la tradition biblique, le premier geste que fit Noé en sortant de l'arche fut de planter une vigne pour honorer le Seigneur qui l'avait sauvé du Déluge. Sa gratitude plut au Très Haut qui lui révéla alors le secret de la vinification. Un soir, Noé en abusa tellement qu'ivre, il se roula tout nu sous un tonneau... Cette scène fut même immortalisée sur une mosaïque de la basilique Saint-Marc à Venise. Mais l'indécence de Noé surprit tellement Cham, son deuxième fils, qu'il le traita avec brutalité. C'est ainsi que, pour n'avoir pas vénéré les vignes du Seigneur, Cham fut condamné à l'errance, de même que ses descendants. Les Juifs, enfants de Sem, revendiquent aujourd'hui, au nom de la loi divine et du droit d'aînesse, les terres des Arabes dont l'ancêtre fut justement Cham.

De leur côté, les dieux de la mythologie gréco-romaine aimaient tellement le vin qu'ils en firent même l'un de leurs semblables ! Ce fut Zeus, le dieu des dieux qui se chargea de le procréer avec sa favorite, la déesse Sémélé.

Générer le dieu du vin fut une tâche titanesque, même pour Zeus. Il fallut deux gestations tumultueuses pour enfanter cette divinité turbulente : la première dans le ventre douloureux de sa mère, la deuxième dans la cuisse de Jupiter ! Selon le mythe, Zeus prit d'abord la forme d'un aigle. Il guetta Sémélé, près d'une source où elle venait chaque jour se baigner et, profitant de sa nudité, il la séduisit en un tour de main. Mais cette nouvelle aventure n'apaisa en rien la jalousie d'Héra, la femme de Zeus et elle foudroya sa rivale. Ce crime passionnel obligea donc Zeus à extraire l'enfant adultérin et à le porter dans sa cuisse gauche !

Lorsque naquit ce rejeton « pas comme les autres... », son père l'appela Dionysos, ce qui signifie « *l'ailleurs* » ou « *l'autre* ». Cette signification peut sans doute être expliquée par le fait que la divinité du vin possède l'enivrante magie d'introduire ses fidèles dans un univers exaltant et réjouissant. C'est en brouillant les frontières que cet enfant terrible de l'Olympe, irrespectueux et désinvolte, effaçait partout les barrières qui séparaient le sacré du profane, le réel de l'imaginaire et l'ordre de la fantaisie. Sous sa séduction, les extrêmes se rejoignaient, les contraires se complétaient, s'harmonisaient et retrouvaient leur unité première.

Quand Rome succomba à son tour, conquise par les charmes de Dionysos, rebaptisé Bacchus, beaucoup virent dans ce culte une voie agréable à la renaissance. Ses prêtresses, les bacchanales, eurent tellement de dévots que l'historien Tite-Live les considérait comme une organisation subversive, s'opposant aux valeurs collectives de la Cité.

« En toutes choses, le plaisir croît à raison du péril qui devrait nous en écarter », l'avertissement que lança Sénéque à ses concitoyens prouve assez la préoccupation de Rome face au succès foudroyant des fêtes de Bacchus où s'entremêlaient le vin, les chants et les caresses.

Le témoignage le plus ancien que nous ayons concernant les vertus aphrodisiaques du vin, nous fut révélé par le Livre des livres. Il y est dit que le patriarche Loth fut enivré par ses filles afin de pouvoir retrouver la virilité qu'il avait perdue depuis longtemps. Le vin accéda par ce biais au rang des philtres d'amour et la réputation de ses propriétés galantes ne fut contestée que des millénaires plus tard, par les Anglais qui pensaient évidemment comme Shakespeare, que ce nectar *« provoque le désir, mais chasse la puissance »*. L'auteur du *Songe d'une nuit d'été* prétendait par ailleurs que les décoctions de pensée sauvage faisaient mieux l'affaire.

Mais à travers les générations, le vin resta néanmoins pour l'homme l'élément le plus régulièrement recherché pour réveiller, réconforter et seconder l'amour. Il agit en effet, soit isolément, soit de concert avec d'autres herbes ou épices susceptibles d'attiser les flammes de la passion :

« Trompez l'amour
Croyez en ma sagesse
Qu'un philtre heureux par vos mains préparé
De votre époux rallumant la jeunesse
Donne à la vôtre un fils tant désiré. »

Cette chanson populaire guidait jadis les indécises pour trouver la voie du bonheur. Dans presque toutes les civilisations viticoles, le vin des mariés était considéré comme un rite censé encourager les novices. Selon la tradition, on le confectionnait en mélangeant du vin à du miel et à des pétales de rose, ou tout simplement à quelques grains de raisin. Aujourd'hui, cette délicate mission est confiée aux bulles fèeriques du champagne, et ce depuis que le moine Dom Pérignon l'inventa au XVIIe siècle.

Le champagne fut aussi, de tout temps, l'ami des séducteurs. Casanova avait un secret infaillible pour rendre les femmes amoureuses, il les invitait tout simplement à savourer du champagne ! Ce n'est pas fortuitement non plus que Mozart composa un « *air du champagne* » pour son célèbre opéra : *Don Giovanni*. Au XVIIIe siècle toujours, lorsque la Marquise de Pompadour se plaignait des langueurs de son tempérament, son médecin lui conseillait de se réchauffer au champagne en prenant au besoin et au préalable un bain d'ortie.

« *Avant de le boire, respire*
O vierge, ce vin enjôleur.
Tu ris ?... C'est l'amour qu'on aspire
Dans son parfum de vigne en fleur. »

(Amaury de Cazanove, *Couplets au champagne.*)

Mais le plus fervent adepte du champagne fut certainement Louis XV. Ses favorites ne connaissaient pratiquement que ce moyen pour rallumer l'ardeur du monarque. Il s'agissait d'ailleurs d'une coutume fort ancienne :

« *Jamais les orgies ne commençaient que tout le monde ne fût dans cet état de joie que donne le vin de champagne.* »

Pourtant, le Cardinal de Richelieu jugeait cette méthode peu loyale et reprochait au champagne de brûler trop vite les flammes du désir.

Sous l'effet magique des bulles d'or, les barrières s'estompent chez la plupart des amoureux. Les distances se rapprochent, les langues se délient, les regards brillent et la chair vibre à fleur de peau.

Comment le champagne procède-t-il pour faire éclater un tel feu d'artifice ? De nombreux biochimistes se sont, depuis longtemps, interrogés sur le pourquoi et le comment des vertus inattendues de ce vin. On a d'abord pensé que l'étrangeté de ses effets provenait d'une puissante hormone sexuelle, la gonado-libérine (ou LH-RH) qui est sécrétée en grande quantité par les centres situés à la base du cerveau. On a ensuite découvert que cette hormone n'intervenait pas en solo. Bien d'autres hormones et neurotransmetteurs se trouvent en effet dans les « coulisses » du cerveau. Ils influencent le déroulement des ébats en inspirant des subtilités et des innovations variables à l'infini.

Les endorphines déchargées par certaines cellules nerveuses tendent par exemple à dissiper la vigilance, tout en augmentant la perception sensorielle, ce qui rend l'individu sensible aux moindres délicatesses exprimées à son égard.

Mais l'ensorcellement du champagne va plus loin encore. Ce vin du bonheur a pour complices des molécules de béta-carboline, également issues du cerveau. Leur mission consiste à freiner les circuits inhibiteurs. Le désir se retrouve ainsi déchaîné, libre de se dépasser et de s'accomplir. La biologie de la passion est en réalité le résultat d'un concert harmonieux dont les artistes sont à la fois les hormones, la culture et la romance. Le champagne détient, lui, le pouvoir de les rendre plus sensibles, plus hardis et infiniment plus créatifs. Laissons-nous donc séduire par ces quelques vers de Rimbaud ! :

> « *Nuit de Juin ! Dix-sept ans ! On se laisse griser.*
> *La sève est de champagne qui vous monte à la tête.* »

Cette citation de Napoléon ne peut pas non plus nous laisser indifférents bien que l'on ne sache pas s'il parlait de ses conquêtes galantes ou militaires :

> « *Je ne peux pas vivre sans champagne. En cas de victoire, je le mérite ; en cas de défaite, j'en ai besoin.* »

CHAPITRE VIII

LES DERNIÈRES GRANDES DÉCOUVERTES

Alors que jusqu'au début du XVIIIe siècle, les Français ignoraient encore quasiment tout de l'océan Pacifique, Louis XIV, face au succès de l'Espagne, du Portugal et de la Hollande, rêva à son tour au soleil des mers du Sud, avec la secrète ambition d'y conquérir des épices et des comptoirs. En 1700, l'expédition de Gouin de Beauchesne fut alors décidée. Les officiers auxquels la mission fut confiée reçurent pour instructions de dresser des cartes des archipels visités. Ils devaient aussi recueillir tous les renseignements possibles sur la faune et la flore des terres explorées.

On ne se lançait plus sur les flots lointains au hasard. Astronomes, naturalistes et peintres... accompagnaient désormais l'équipage. Académies et Sociétés savantes préparaient donc méthodiquement le plan de ces voyages qui tendaient à devenir de plus en plus scientifiques. L'hydrographe Duplessis qui accompagna Beauchesne vers l'Asie du Sud-Est, écrivit à ce propos : « *Il faut tout noter dans les pays inconnus pour ouvrir la voie aux autres et à soi-même.* »

Les résultats obtenus furent publiés dans des comptes rendus mis à la disposition des Universités. Ces connaissances nouvelles, analysées et diffusées grâce aux encyclopédistes et aux progrès de l'imprimerie, favorisèrent énormément le développement de la science, laquelle modifia à son tour la façon de voir et de concevoir les choses. Le processus de critique et d'analyse qui était certes désespérément lent ne tarda pas à s'accélérer au cours des siècles.

« *Il reste encore bien des choses à trouver et de vastes contrées à découvrir.* »

La phrase de Buffon souleva un élan irrépressible pour les voyages de découverte. Ainsi, et pendant des générations :

« *Comme un vol de gerfauts hors du charnier natal,*
Fatigués de porter leurs misères hautaines,
De Palos de Moguer, routiers et capitaines
Partaient, ivres d'un rêve héroïque et brutal...

Chaque soir, espérant des lendemains épiques,
L'azur phosphorescent de la mer des Tropiques
Enchantait leur sommeil d'un mirage doré ;

Ou penchés à l'avant des blanches caravelles,
Ils regardaient monter en un ciel ignoré
Du fond de l'océan des étoiles nouvelles. »

(J.-M. de Heredia)

Par la puissance même de leur flotte qui était composée de vaisseaux perfectionnés, telles des frégates et des corvettes, l'Angleterre et la France rivalisèrent ainsi d'ardeur dans l'organisation de voyages scientifiques. Parallèlement, la méthode de calcul par les distances lunaires et la mise au point des chronomètres constituèrent une révolution fondamentale qui permit de résoudre le problème des longitudes. Ces inventions inaugurèrent une ère de navigation astronomique rigoureuse.

Anson, Byron, Wallis, Bougainville, Cook, Lapérouse et Darwin sillonnèrent tour à tour les immenses étendues des océans. Les connaissances accumulées furent innombrables et changèrent de fond en comble la vision que nos ancêtres avaient de la nature et d'eux-mêmes. Un homme multidimensionnel, libéré de son univers égocentrique, entra alors en scène, conscient de sa force, de son évolution et de son destin mais aussi bercé par l'ambition, l'euphorie et l'idéal.

Chacune de ces expéditions amena des centaines d'espèces de plantes inconnues en Europe. Ainsi, le premier voyage de James Cook en apporta au moins neuf cents. L'une des baies australienne fut même baptisée « *Botany Bay* » en raison de la richesse extraordinaire de sa flore. Au cours des XVIIIe et XIXe siècles, la découverte de ces jardins édéniques permit d'élargir de façon vertigineuse nos connaissances sur les plantes et les animaux de la planète. Mais elle permit aussi à l'exotisme de s'infiltrer dans la littérature. Bien après l'*Émile* et le célèbre mythe rousseauiste du « bon sauvage », Baudelaire s'inspira aussi des senteurs frémissantes des Tropiques pour composer les célèbres vers de « La chevelure » :

> « *La langoureuse Asie et la brûlante Afrique,*
> *Tout un monde lointain, absent, presque défunt*
> *Vit dans tes profondeurs, forêt aromatique...* »
>
> *(Les fleurs du mal)*

Les grands voyages prouvèrent surtout que, sous tous les cieux et sur tous les continents, les hommes avaient une même préoccupation : exploiter toutes les ressources disponibles de leur milieu afin de préserver leur jeunesse, de prolonger la jouissance et de lutter contre le déclin de la puissance sexuelle. Partout, le chant de l'amour poussa les amants à célébrer leurs sentiments par les rites les plus élaborés, les plus étranges et les plus tendres. Et ce, indépendamment de leur degré de culture et d'évolution.

Les réels pouvoirs euphorisants et virilisants des nombreuses substances « aphrodisiaques » qui furent découvertes dépendèrent aussi beaucoup de ce que l'on attendait d'elles. Voulait-on simplement donner une expression paroxysmique à un plaisir que l'on savait de toute manière trouver sans cet adjuvant ? Cherchait-on au contraire à obtenir un plaisir que l'on ne parvenait pas ou plus à atteindre ? Ou s'acharnait-on encore à éveiller un désir qui semblait introuvable ? Dans tous les cas, le meilleur des aphrodisiaques ne pouvait rien en l'absence de la passion.

Le yohimbe à la source du Nil

C'est au cœur de l'Afrique que l'on découvrit le yohimbe, grâce aux expéditions du docteur David Livingstone, géographe et missionnaire protestant, puis celles de Stanley, Brazza, Burton et Speke. Les indigènes possédaient en effet des lamelles d'écorce de yohimbe qu'ils recevaient de leur sorcier. Cette substance était censée chasser la fatigue et leur conférer protection et résistance contre le mauvais sort que les esprits de la forêt pouvaient leur jeter.

Avec la découverte du lac Nyanza, la « matrice du Nil », la prospection des régions environnantes ouvrit de nouveaux champs de recherche sur les richesses insoupçonnées de ce continent.

Le yohimbe est un arbre majestueux de l'Afrique équatoriale. Il doit son nom, « *pausinystalia yohimba* », à ses petites fleurs en forme de massue, disposées en grappes, qui fructifient en drupes charnues à graine unique. Cet arbre de la famille des rubiacées est caractérisé par une écorce épaisse, couvrant le tronc et les branches, et des feuilles présentant un aspect écailleux. Il ressemble à un végétal matelassé et contient un puissant alcaloïde, la yohimbine, qui est un indolakylamine et qui se concentre justement dans l'écorce. L'écorce et les fruits de cet arbre ont été récoltés par les sorciers africains, au sein de la forêt vierge, depuis la nuit des temps. Ils les utilisaient, transes, amulettes et talismans aidant, pour provoquer une érection prolongée. D'ailleurs, la yohimbine houdée existe toujours dans notre pharmacopée moderne. La dose prescrite va de deux à trois comprimés (à 2 mg), trois fois par jour. En revanche, le yocon américain, trois fois plus dosé, ne se prend qu'à raison d'un demi à un comprimé trois fois par jour. Le succès de cette substance s'explique par ses effets immédiats. La yohimbine encourage l'afflux massif du sang, au niveau de la verge, en agissant sur les artères et en ralentissant son évacuation au niveau des veines. Elle bloque ainsi les récepteurs alpha des vaisseaux qui ne peuvent plus se rétrécir, sur ordre des nerfs sympathiques. Les artères se dilatent donc sous la seule commande des nerfs à action contraire, les parasympathiques. Mais cette érection dure peu longtemps et les insatisfaits ont souvent tendance à augmenter la dose, ce qui provoque des effets indésirables tels que des vertiges, des tremblements, des palpitations, des nausées, des crises d'angoisse ou un blocage urinaire...

L'ylang-ylang, sourire des Tropiques

Voici comment, selon la légende, naquit l'ylang-ylang. Un jour, alors qu'il s'était mis en tête de trouver une femme qu'il voulait grande et belle, Oroa vit une jeune fille d'une étrange beauté au pied de la Montagne de Feu. Elle venait y ramasser du bois. Elle était de haute stature et le soleil brillait sur sa peau dorée tandis que tous les mystères de l'amour sommeillaient dans la nuit de sa chevelure.

Charmé, Oroa pria ses sœurs d'aller lui parler en sa faveur. Elle s'appelait Vaïra. Elles lui dirent : « *Notre frère, qui est follement amoureux de toi, te fait demander si tu consens à devenir sa femme.* »

Alors elle leur répondit : « *Vous n'êtes pas de notre île mais qu'importe. Si votre frère m'aime et s'il est beau, il peut venir le jour où il verra un arc-en-ciel lui indiquant le chemin de mon village...* »

Le jeune homme obéit et bien des lunes brillèrent et s'éclipsèrent avant qu'on ne le revît. Oroa et Vaïra donnaient en effet libre cours à leur passion, sous de gracieux tamaris et frangipaniers en fleurs. Par une nuit étoilée, Vaïra avertit son mari qu'elle était enceinte. Leur fille serait la plus belle créature des mers du Sud. Elle porterait le nom d'Ylaa-ylaa (la « *Fleur des fleurs* » en langue tégelog des Philippines), afin que son parfum suave enchante le cœur des amants.

C'est pourquoi, on rencontre aujourd'hui cet arbre embaumant les jardins, sur les îles des mers du Sud. Ses fleurs, qui ont la forme de clochettes d'or, naissent en grappes à l'aisselle de fines feuilles allongées, ce qui confère à l'ylang-ylang une forte ressemblance avec notre saule. Il a cependant des branches tombantes qui fleurissent toute l'année. Cet arbre appartient à la grande famille du magnolia, le premier végétal qui embellit notre planète.

Les principes actifs des pétales de l'ylang-ylang sont d'une remarquable volatilité. Ils se diffusent rapidement dans l'air, franchissent les membranes de la voie olfactive et gagnent le cerveau en quelques secondes. Ils offrent là un bouquet envoûtant de senteurs exotiques, résultant de la valse des acides valérique, formique et benzoïque, autour des molécules de géraniol, d'eugénol, de linalol et de cadinène.

Cette fleur excite par la gamme variée de ses parfums qui sont très proches de ceux du narcisse et de la jacinthe. Ses nuances savent murmurer dans l'intimité, inspirer les sentiments les plus délicats et susciter les désirs les plus ardents. Et ce, uniquement par l'odorat qui ouvre la voie du rhinencéphale, notre cerveau de l'émotion. C'est à partir de ce centre bouillonnant de pulsions instinctives que l'ylang-ylang exploite notre fonction olfacto-sexuelle. La douceur de ses messages résonne dans l'intériorité de l'être, ils parlent directement au cœur tout en excitant le sexe.

Dans son pays d'origine, on extrait les essences de l'ylang-ylang en émulsions aqueuses par distillation à la vapeur d'eau de ses pétales séchés. Des eaux de toilette sont aussi confectionnées à partir de solutions alcooliques. Ces produits cosmétiques adoucissent la peau, la parfument et mettent ses sens à nu, ce qui la rend terriblement réceptrice. La médecine autochtone et l'herboristerie conseillent même de prendre quatre à cinq gouttes de cette essence végétale sur un morceau de sucre ou dans une cuillerée de miel. Cette dose peut être prise trois fois par jour.

Le fruit du colatier

A travers imaginaire et réalité, les hommes ont pendant longtemps brodé de merveilleux récits au sujet des plantes magiques qu'utilisaient les guérisseurs, les sorciers et les chamans, soit pour soigner, soit pour entrer en transes.

Aux pays des Dongs, on considère le cola comme un fruit surnaturel que l'homme a dérobé grâce à sa ruse et à son courage. Voici comment la tradition africaine explique l'apparition du colatier :

> « *Au commencement, on ignorait à quoi ressemblait une noix de cola. Seul le grand sorcier qui habitait le sommet d'un arbre géant la connaissait. Il aimait beaucoup la saveur de ce fruit. Un jour, vaquant à ses affaires, il dut poser un instant sa noix sur une pierre, puis il oublia de la reprendre.*
> *Un homme qui passait par là s'en saisit aussitôt et la goûta malgré les remontrances de sa femme. Lorsque le sorcier revint pour récupérer son bien, surpris et affolé, le voleur tenta d'avaler sa chique. Mais, le sorcier furieux le saisit par la gorge et lui fit recracher le fruit. En tombant par terre, la fève se transforma en un immense colatier. Depuis ce jour-là, le sorcier a laissé la marque de sa main sur la gorge de l'homme (notre pomme d'Adam), pour lui rappeler qu'il est dangereux d'avaler ce fruit.* »

D'expérience, la tradition africaine se méfie donc de la toxicité du cola. Cette légende semble constituer ici une sorte de barrière culturelle en prévenant tout abus.

Le colatier et le cacaoyer sont en fait deux proches cousins de la famille des sterculiacées. A l'origine, il y a de cela plus de quarante-cinq millions d'années, leur ancêtre commun peuplait tout le continent primaire, lorsque l'Afrique et l'Europe étaient encore soudées à l'Amérique. A la suite de la dérive des continents, certaines sterculiacées d'Afrique évoluèrent peu à peu en colatiers et en baobabs pendant que leurs cousins d'Amérique devenaient des cacaoyers.

C'est en étudiant leur nature biologique que les botanistes parvinrent à établir la parenté étroite de ces deux espèces séparées par l'océan. Le noyau de leurs cellules renferme en effet le même nombre de chromosomes : treize paires. C'est pour cette raison que le cola et le cacao renferment tous deux des substances excitantes et une forte proportion de caféine et de théobromine associées à de petites molécules de tanin (les oligotanoïdes). Ces combinaisons forment des catéchols qui décuplent leurs effets sur le cerveau.

Jadis, la noix de cola était également une monnaie d'échange. Sur le tronc du colatier qui peut parfois atteindre une dizaine de mètres de haut, les sorciers disposaient également des talismans qui étaient destinés à conjurer les esprits susceptibles de menacer les amoureux qui venaient se blottir à l'ombre de son feuillage.

Le colatier fleurit à la saison des pluies. Chacune de ses fleurs comporte des pétales striés de rouge et couronnés par cinq pistils qui sont des organes femelles. Une fois pollinisé, chaque pistil donne une cosse contenant six à huit noix de cola odorantes.

Depuis toujours, les indigènes mâchent ces amandes crues dont les vertus toniques sont particulièrement recherchées. Le cola est réputé pour chasser la fatigue, adoucir le quotidien et nous conférer plus de force et de gaieté. Pendant des siècles, le sirop et le vin de cola constituèrent les aphrodisiaques les plus courants. On en prenait un verre à liqueur, le soir, pour animer les longues soirées. C'était l'époque romantique où l'on ignorait encore, Dieu merci, le dopage aux poisons de la chimie moderne que sont « Ecstasy », « Popper » ou les hormones androgènes.

Un jour, un certain pharmacien bordelais du nom de Mariani eut l'idée géniale d'élaborer un super aphrodisiaque en mélangeant du vin de cola à des extraits de feuilles de coca. Mais, comme ses compatriotes n'appréciaient guère la saveur amère de cette mixture, son inventeur, déçu et ruiné, en vendit la recette à un confrère américain.

Et c'est ainsi que naquit le coca-cola en Amérique. Il fut au début vendu sous la marque de « *vin français de coca, tonique idéal* » (French wine of coca, ideal tonic). Beaucoup d'Américains pensent qu'il s'agit effectivement d'un aphrodisiaque, mais beaucoup d'autres, heureusement, préfèrent l'amour au naturel.

L'impuissance au pays du ginseng

Au pays du « Matin Calme », la Corée, pousse une plante dont la racine ressemble étrangement à celle de la mandragore. Il s'agit du ginseng. Mais, à la différence de la mandragore qui est classée parmi les solanacées, le ginseng appartient à la famille de araliacées. En dépit de cette distinction botanique, le « *ginseng* », mot qui signifie « *tubercule anthropomorphe* » en chinois, présente aussi des alcaloïdes doués de vertus aphrodisiaques.

Dans la très longue histoire de la Chine, bon nombre d'empereurs prirent du ginseng dans l'espoir d'assouvir les mille concubines de la Cité Interdite. C'était là un travail plutôt harassant qu'agréable, que seule cette poupée végétale pouvait aider à accomplir. Tout comme la mandragore, ce tubercule possède en effet des prolongements rappelant les quatre membres du corps humain plus un cinquième, souvent invisible ou filiforme. Pendant des millénaires, les racines de ginseng furent recherchées pour leurs vertus tonifiantes exceptionnelles. C'est ainsi que la Chine tenta à maintes reprises d'envahir la Corée dans le but de s'assurer l'approvisionnement de ces racines de longue vie. Curieusement, historiens et médecins se sont longtemps interrogés sur la toxicité de cette plante. La plupart des « *Fils du Ciel* » mouraient jeunes en effet. Le ginseng avait-il des effets non désirables ou bien s'agissait-il d'« overdoses » décidées par les eunuques qui fraudulaient les infusions de ginseng en y ajoutant de la noix vomique ?

Une légende coréenne nous raconte l'origine divine du ginseng :

« Dans son palais céleste, la déesse de la soie entendit un jour un air mélodieux s'élevant quelque part d'une vallée située au pays du Matin Calme.

S'arrêtant un instant de tisser, elle jeta un coup d'œil vers la terre et aperçut un jeune berger en train de jouer de sa flûte. Il était si beau que la déesse en tomba amoureuse. C'est ainsi qu'elle descendit parmi les humains et mena une vie simple avec son amant, dans un hameau de montagne. Mais, comme ce genre d'union libre ne plaisait guère au dieu du Ciel, le couple fut alors sommé de se séparer.

Heureusement, la force du destin ne parvint pas à vaincre complètement l'amour et la nature complice vola au secours des malheureux. Une fois par an, à la pleine lune du huitième mois de l'année, des hirondelles, fidèles messagères du printemps, formaient un pont afin que les amants puissent se rencontrer. A ce moment, la déesse pleurait de joie et ses larmes se transformaient en ginseng, lequel a pour mission de perpétuer la poésie de l'amour dans le cœur des humains. »

Dans le monde des aphrodisiaques, le ginseng possède une valeur mythique et une renommée des plus extraordinaires depuis que le légendaire Empereur Shin-Non apprit aux Chinois, il y a plus de quarante siècles, que le ginseng était un incroyable fortifiant. Les Chinois sont aujourd'hui près de deux milliards d'individus et, à en juger par ce résultat vertigineux, il devait bien y avoir quelque chose de fantastique dans ce tubercule !

Ne dit-on pas que cette petite plante herbacée « *rend invisible les chasseurs des steppes* » et qu'émane d'elle, la nuit, une lueur bleuâtre qui indique l'endroit où elle pousse ?

Mais que savons-nous au juste de cette « *panacée impériale* » ? L'aire de peuplement naturel de cette plante va des montagnes du Népal jusqu'à la Sibérie mais on la trouve aussi au Canada et dans l'est des États-Unis. Il existe sept espèces connues de ginseng dans la nature, mais seule l'es-

En Suisse nous n'avons pas d'idées
mais nous avons un bon ginseng rouge de Corée
de 8 ans d'âge

Mystérieux ginseng

Convient particulièrement AUX PERSONNES ÂGÉES

Cette racine est aimée et adorée dans tous les pays d'Extrême-Orient.

Je m'appelle ginseng.

Je suis une racine qui a mis
8 longues années pour venir à maturité...
comme un buvard,

Tous les principes actifs de la terre,
je les ai stockés.

Après ma cueillette, je laisse le sol
stérile pendant 10 ans.

En Corée, on m'appelle
Plante-Homme ou Racine de Vie.

Mes pouvoirs sont Fantastiques.

Ma référence: 4000 ans de succès.

ALORS, ESSAYEZ!...

fatigue, dépression, stress, cette plante **combat** *ces «maladies modernes»*

COUPON GRATUIT A RETOURNER DANS LES 8 JOURS

Si la médecine occidentale
ne vous procure pas l'énergie
et la virilité dont vous avez besoin,
pourquoi ne pas essayer
quelques Secrets
de la Médecine Orientale ?

Le ginseng et l'Orient dans la publicité...

pèce coréenne présente les vertus recherchées, et ce, probablement grâce à la déesse de la soie !

Cette plante mesure cinquante centimètres de haut et porte des feuilles à cinq folioles semblables aux doigts d'une main, d'où le nom de « *panax quinquefolius* » (« *quinque* » : cinq et « *folius* » : feuille) que lui attribuent les botanistes.

Dans le commerce, le ginseng rouge coûte dix fois plus cher que le blanc alors que tous deux proviennent de la même plante. La coloration rouge est simplement obtenue par déshydratation à la vapeur et à la chaleur. Il s'agit là d'un banal procédé d'oxydation.

On n'utilisait jadis que le ginseng sauvage. De nos jours, cette plante est cultivée avec soin dans des serres, dans de nombreux pays tels que la Chine, la Corée, le Japon, la C.E.I., le Canada et les USA. N'oublions pas qu'en temps de stress, un homme sur dix se plaint de la morosité de son sexe ! Contrairement à la métallurgie, l'industrie des aphrodisiaques est en pleine expansion.

D'ailleurs, la culture de ce tubercule n'est pas sans spécificité. La teneur en alcaloïdes de la plante dépend de la nature du sol, de l'humidité et de l'ensoleillement. Elle doit endurer la neige des longs hivers et elle ne s'embellit que dans l'épreuve. Il faut au moins sept ans pour que la racine atteigne sa maturité. Après la récolte vient l'étape de la préparation dont chaque maître possède son secret.

De tous les aphrodisiaques naturels, le ginseng est celui que la biochimie a le mieux analysé. Et ce, en raison de sa haute valeur commerciale et de son aura millénaire. Il a de tout temps fasciné celui qui le découvrait, l'absorbait et l'essayait. Ses effets sont en effet multiples : une sensation d'euphorie résonne dans la totalité de l'être, ébranle les muscles et exalte la pensée. Le corps s'épanouit, se sent léger et agile, capable des voltiges les plus surprenantes, comme au temps de ses élans juvéniles. C'est pourquoi cette racine accompagne souvent l'amour au couchant.

De tous les aphrodisiaques, le ginseng possède également une palette des plus complexes en substances énergisantes.

Neuf groupes de ginsénosides composent ses principes actifs. A cela il faut ajouter en plus de multiples vitamines, oligo-éléments, enzymes, phosphatides, hormones végétales, acides gras et acides aminés.

A la différence de l'amphétamine, l'infusion de ginseng ne fouette pas la verge. Elle dirige avec tact et douceur l'activité des enzymes, canalise les mouvements des ions, fait chanter les glandes surrénales, orchestre leur rythme en *crescendo* puis, après un vibrant tempo, provoque enfin l'apothéose de l'extase. Pratiquement toutes les fonctions de l'organisme sont conviées à cette fête de la vie. Le ginseng possède enfin la particularité d'être l'un des rares toniques dépourvus de toxicité, quand il n'est pas associé à l'alcool.

Nuit câline à la noix vomique

Le vomiquier est un arbre d'Asie tropicale de la famille des loganiacées. Avec ses grandes feuilles vert tendre en forme de cœur, il possède un charme irrésistible. Mais qu'on ne s'y trompe pas ! Il possède aussi des alcaloïdes toxiques, capables de foudroyer le cœur et le cerveau ! Depuis toujours, les chasseurs Dayaks de Bornéo enduisent la pointe de leurs flèches de ce poison qui paralyse instantanément leur gibier.

A la saison des pluies, des petites fleurs blanches à cinq pétales apparaissent en bouquets parfumés. Chacune d'elles donne une baie orangée semblable à une mandarine sphérique. A l'intérieur du fruit se logent quatre à cinq noyaux en forme de disque ou de monnaie que les indigènes utilisent comme des jetons dans leurs jeux. L'amande de ces fameuses noix vomiques renferme une haute teneur en strychnine, brucine et autres substances vénéneuses au goût amer. La strychnine agit sur le système nerveux à très petite dose (10 à 30 mg par jour). Elle contrôle les circuits normalement chargés de freiner les réponses exagérées des organes, ce qui laisse le terrain libre aux nerfs excitateurs qui soulèvent allègrement l'organe et le poussent à la folie. Mais en cas de surdosage, la strychnine mène à des états de tétanie, voire à la mort par convulsions et blocage des centres de la respiration. Le sirop de strychnine fut pendant longtemps le tonique habituel de notre pharmacopée. On le prescrivait à doses extrêmement faibles bien sûr.

Les accidents dus à cet alcaloïde ne sont pas rares. Il arrive souvent que des imprudents combinent la strychnine au rhum et à l'écorce de bois bandé, un arbre de la famille des euphorbiacées aux Antilles. C'est cet arbre qu'affectionnent particulièrement les sorciers Hougans lors des cérémonies vaudou. Ce genre de cocktail frappe violemment sa victime ne lui laissant même pas le temps d'exprimer son talent.

Parfois, la noix vomique s'allie à des poudres de withania, de mucana, et d'abutilon, d'origine indienne, qui sont réputées pour provoquer une érection prolongée. Les ingrédients de l'amour abondent d'ailleurs dans ce pays où les traités sur l'érotisme et les aphrodisiaques datent de l'Antiquité. Les livres du *Kamasutra* et du *Ayurveda* foisonnent de recettes galantes dont l'élaboration demande une véritable composition de substances végétales, animales et minérales, toutes censées conférer de l'audace au sexe timide.

Mais en cas de grave intoxication, le traitement relève des techniques modernes de réanimation d'urgence et nécessite la respiration assistée, le massage cardiaque et le recours au rein artificiel pour soustraire le poison du milieu sanguin. Son élimination de l'organisme est en effet extrêmement lente. Par ailleurs, les initiés, une fois drogués, ont tendance à augmenter la dose, ce qui explique la fréquence des accidents favorisés par l'accumulation de substances toxiques au sein des cellules nerveuses et musculaires.

Chinoiseries pour érection fantôme

Partout dans les grandes villes chinoises, on trouve dans les magasins spécialisés ou à même le trottoir, toute une pharmacopée fabuleuse composée de produits animaux, végétaux et minéraux plus ou moins alléchants et réputés pour leurs vertus virilisantes. Couleuvres, crotals, najas, cobras, tortues et gibbons vivants sont mis aux enchères et saignés à blanc pour le bonheur du client le plus offrant.

Dans *l'« Empire du Milieu »*, ce n'est pas Eve qui croque la pomme, c'est Adam.

Des scènes incroyables ont lieu tous les jours dans des établissements luxueux, moitié vivariums moitié restaurants. Le client y assiste à la mise à mort de l'animal choisi et admire la dextérité du patron ou de sa dame qui saisit la bête par le cou, l'éventre avec des ciseaux et lui retourne la peau comme un gant. Puis, dans une coupe, le cuisinier fera gicler pêle-mêle le fiel, le venin et le sang, qu'il mélangera à une bonne dose d'alcool (du cognac champagne Napoléon dans les bonnes maisons). Cette potion virilisante et longévitale est alors présentée au client comme le Saint-Sacrement, sous le regard des envieux qui regrettent de ne pas pouvoir se l'offrir.

D'autres préfèrent des souris vivantes, des grillades de chien ou des vessies de carpe... tandis que les plus fortunés ingurgitent un testicule de panda ou une cervelle de singe fraîchement trépané. Toute cette « gastronomie » sadique est d'autant plus appréciée qu'elle est servie à proximité des ruelles où opèrent les « concubines de trottoir ».

Dans ces officines odoriférantes, la faune « aphrodisiaque » y est consommée soit vivante, soit sous forme de carcasses, de cartilages, d'arêtes, de viscères, d'écailles, de cornes, de poils, de vulves, de sang ou de sperme, que l'on fait mijoter dans des bouillons de ginseng, impuissance oblige. Le touriste en mal de concubines peut essayer des cornes de rhinocéros. S'il est pressé, un pénis d'étalon blanc lui sera rapidement servi lors d'une escale avec un texte idéographique précisant ceci : « *Pénis de cheval blanc séché cent jours à l'ombre et enduit de sang de chèvre.* »

Si toutes ces substances fantastiques ne réveillent toujours pas le sexe, on fait alors appel aux bézoards d'éléphant, aux matrices de morse, au bosses de chameau, aux queues de paresseux ou aux cornes veloutées du daim mâle qui est, comme chacun sait, le « *serviteur de nombreuses femelles à la fois* ». Si le client le préfère on pratiquera une incrustation de rubis dans la peau de sa verge pour la protéger de la défaillance tout en rehaussant son éclat. Rien n'est ainsi épargné en Chine pour pouvoir jouir jusqu'au bout de la vie, avec le concours d'une médecine mythique quatre fois millénaire. Ici Hippocrate est fou d'Aphrodite.

CHAPITRE IX

LE SEXE LIVRÉ À LA SCIENCE

Pendant longtemps, bon nombre de mythes, de préjugés, de superstitions et de dogmes confinèrent la sexualité dans un bastion tabou, empêchant l'étude de sa physiologie. Il est aussi vrai, par ailleurs, que de toutes les fonctions de notre organisme, celle du sexe reste la plus délicate, la plus insaisissable, la plus difficile à expérimenter, à enregistrer, à analyser et encore plus à interpréter. On peut étudier à volonté les réactions enzymatiques du foie, du sang ou des cellules nerveuses mais il est quasiment impossible d'obtenir expérimentalement une érection ou un orgasme, isolés de leur ambiance sentimentale, érotique et psycho-culturelle. Les rares fois où l'on est parvenu à les reproduire en administrant des drogues ou en excitant électriquement les nerfs érecteurs, les résultats mécaniques obtenus furent fort décevants et ne correspondaient en rien aux frissons indicibles des ébats passionnés.

Toutefois, depuis une vingtaine d'années, des progrès inimaginables ont été accomplis en biologie et en biochimie. Ils ont ouvert la voie à d'immenses champs de recherche, inauguré des perspectives insoupçonnées et permis une approche pluridisciplinaire de la sexualité humaine.

Nos connaissances actuelles restent certes tout à fait limitées mais elles ont l'avantage d'évoluer d'année en année, sinon de mois en mois. Elles sont surtout soumises à des critiques objectives qui seules garantissent la perfectibilité et l'intérêt des méthodes modernes dans la compréhension comme dans le traitement de l'organe stressé.

La sexologie et l'andrologie sont donc aujourd'hui en mesure de détecter et de soigner les grandes causes de la défaillance virile. Plus important encore, elles ont même découvert les règles de la prévention, ce qui représente un progrès considérable puisque l'impuissance n'est plus vécue comme une fatalité, et encore moins comme une maladie honteuse. Elle est devenue une affection banale dont le mauvais fonctionnement peut être appréhendé, soigné et évité grâce à certaines mesures d'hygiène.

Un sexe au-dessus de tout soupçon : le cerveau

Alors que l'on pensait que le réveil de la verge obéissait à l'appel d'hormones sexuelles, et en particulier à la testostérone sécrétée par les testicules, l'examen par immuno-fluorescence de fragments de la verge apporta la preuve du contraire. Les cellules de l'organe mâle ne possèdent pas, en effet, le moindre récepteur capable de capter la testostérone. Cette découverte inattendue démontra du même coup l'inefficacité des injections d'androgènes visant à obtenir l'érection. Comment pouvait-on ouvrir la porte de la volupté en utilisant la mauvaise clef ? Ces hormones se révélèrent même dangereuses pour les cellules de la prostate, susceptibles d'être poussées à la révolte.

A la différence de l'instinct sexuel animal qui se développe lorsque le taux d'hormones atteint un certain niveau, le comportement sexuel humain, de loin plus élaboré, dépend de l'action de multiples facteurs tant biologiques que psychoculturels. Cette originalité, dans une certaine mesure, libère l'homme du biologique et explique aussi pourquoi l'aphrodisiaque idéal n'existe nulle part. Aucune substance ne peut recréer la romance indispensable à l'ambiance érotique. Chez l'homme en revanche, de nombreuses stimulations non biologiques contribuent à part égale à l'exaltation du désir. Il dispose ainsi de mille et une possibilités pour faire éclore sa sexualité, même en l'absence d'hormones et d'aphrodisiaques ! Mais beaucoup de nos semblables, hélas, ignorent encore leur talent et confondent l'activité sexuelle avec un exercice physique.

Une autre découverte fondamentale fut faite lorsque l'on s'aperçut que le cerveau fonctionnait en réalité comme un sexe énorme. Il se montre en effet, non seulement sensible aux hormones des glandes génitales, mais encore à toute forme de tendresse exprimée à son égard. C'est lui en réalité qui mène le jeu de l'amour et du hasard, ordonne l'érection ou l'indifférence, décide de noyer ou non la conscience dans l'ivresse de la plénitude. C'est bien ce qu'exprime, en d'autres mots, le poète Paul Valéry : « *Maître cerveau sur son homme perché...* »

Tendres neurones

Dès que l'émotion créée par l'intimité sentimentale atteint un certain niveau d'intensité, un feu d'artifice de messagers chimiques explose au sein du cerveau. Des neurotransmetteurs se mettent alors en activité à travers le corps et leur mission consiste à parfaire l'érection. Nous connaissons actuellement au moins une cinquantaine de ces irrésistibles messagers dont les récepteurs garnissent les différentes catégories de cellules de la verge. L'organe reçoit donc leurs ordres et exécute leurs recommandations en toute harmonie physiologique. Pourtant, ce que la science connaît du fonctionnement complexe de la sexualité humaine ne représente que quelques notes isolées, des silences entrecoupés de phrases mélodieuses, mais le répertoire intégral nous échappe encore.

Nous savons néanmoins que le cerveau en est le principal acteur, qu'il compose, orchestre, improvise et interprète... Les moyens qu'il met en œuvre dans cette création sont des plus surprenants et des plus déroutants. Il s'agit d'une alchimie de thèmes variables à l'infini, caractérisée toutefois par une note centrale personnalisant l'âme de l'artiste.

Il n'y a donc pas une substance qui ait pour charge de réveiller le désir tandis qu'une autre s'occuperait des performances viriles. C'est au contraire toute une gamme de molécules chimiques, les neurotransmetteurs, qui réalise tantôt l'élan, tantôt l'épanouissement en fonction des nuances, des alliances et des interactions qui sont créées. Certains de ces neurotransmetteurs arrivent à l'organe par les voies sanguines et nerveuses, d'autres s'attachent à la conscience et la plongent dans un état nerveux d'émerveillement.

Le scénario de ce fonctionnement est assez stéréotypé, mais ce qui change, c'est le style de l'artiste qui va de « *l'affettuoso* » à « *l'allegro* », de l'anticipation au « *maestoso* », toujours « *con fuoco* » et broderie. Voici comment cette mise en scène est organisée. Les endorphines lèvent tout d'abord le rideau en accordant le « *la* » aux exécutants, en imposant le silence et en battant la mesure. En cet instant sublime, le temps devient soudain « *l'image mobile de l'immobile éternité* », semblable à un recueillement.

La noradrénaline surgit alors des nerfs sympathiques et attaque « *en solo* » les premières notes du prélude. Sans attendre, elle met un bémol sur les endorphines dont l'écho se dissipe et dont l'envol aiguise la vigilance de l'ensemble des exécutants. D'un coup de baguette magique, la noradrénaline arrête la fugue des courts-circuits et bloque la sortie du sang par les veines.

Alors, la dopamine entre en scène pour faire vibrer le chant de l'amour « *en crescendo* », à la fois dans les couches profondes du cerveau et dans les méandres des vaisseaux de la verge dont les moindres fibres musculaires se préparent à l'ouverture. Le mouvement adopte d'abord un « *moderato gracioso* », inspirant ici un « *pincé mordant* » et là un « *staccato vivace* ». Face à ce charme irrésistible, les artères baissent les bras. Le flux sanguin s'y engouffre, gonfle l'organe, en durcit le cœur et en dresse la silhouette, sous l'admiration des muscles pelviens qui le soutiennent, le hissent, le rectifient et le dirigent selon le génie du conducteur. Soudain, des salves d'ocytocine jaillissent de la base du cerveau, des étincelles illuminent le corps, fascinent le regard et tourmentent la chair.

L'apparition, dans la verge, de cette hormone qui est normalement chargée de favoriser le mécanisme de l'accouchement et de la lactation chez la femme montre que c'est l'organisme dans son ensemble qui se mobilise pour offrir le meilleur de lui-même et émerveiller l'autre. Avec l'aide des hormones sexuelles, l'ocytocine forme en fait un deuxième système de sécurité qui renforce et maintient l'érection, et ce, en dépit des circonstances inopportunes qui pourraient survenir. Sans sa participation, tout pourrait brusquement tourner court et l'intervalle harmonique risquerait de s'interrompre ou de se renverser au cas où l'exécutant serait fatigué ou drogué par un tranquillisant ou un somnifère.

Modulée par la sérotonine, l'ocytocine renforce et relance « *l'impressario* » puis rehausse la splendeur de l'armure afin que l'organe ne soit pas gêné par des trouble-fête. Du fond de l'orchestre, c'est la jubilante acétylcholine qui déferle maintenant par vagues successives, décalée par le jeu diatonique du V.I.P. (Vasoacive Intestinal Peptide). Ce messager chimique dilate les vaisseaux et confère toute sa fougue juvénile à l'organe pendant que les muscles du périnée le hissent à l'apogée et impriment le « *fortissimo* » à son impétueuse ardeur. La beauté de cette œuvre cristalline et lapidaire enflamme le corps et triomphe en un « *gloria* » final, magnifié par la gamme montante des autres neurotransmetteurs (substance P, somatostatine et peptide Y) qui accompagnent en chœur.

Cette symphonie de neurones enivre complètement l'être et grave dans sa chair une mélodie ineffable, composée dans l'abîme de son univers intérieur. C'est l'instant où le moindre murmure bouleverse, où en chaque sens résonnent les cinq autres et où l'orage désiré aspire à l'éternité.

Emportée par le brio de sa tendre virtuosité, la valse des hormones et des neurotransmetteurs reprend ses thèmes, invente des variations, échange des divertissements et fait rythmer le jeu, le caprice et le style. Tantôt ce sont les doubles croches de la noradrénaline qui s'envolent, tantôt c'est l'acytylcholine qui s'exprime, de « *l'agitato* » à « *l'andante* ». Ces interprétations reflètent le génie propre de chaque partenaire. Curieusement, l'homme et la femme ne répondent pas de façon identique à l'appel de ces molécules diaboliques. Pour un neurotransmetteur donné, l'effet peut être complètement inversé chez l'un et chez l'autre. Il en est de même des substances dites aphrodisiaques. La dopamine, par exemple, stimule l'homme mais retarde au contraire l'épanouissement de sa compagne. La yohimbine fait de même. Ces faits illustrent bien la complexité biologique de la sexualité humaine qui n'est en rien soumise à la loi des hormones, et encore moins au cycle des périodes de reproduction que connaissent instinctivement les bêtes.

C'est à juste titre que Voltaire, dont le talent ne fut point candide dans l'art d'aimer, s'étonnait de ce « *curieux animal qui peut boire sans avoir soif et faire l'amour en toute saison !* »

Explosive volupté

Par la richesse de son équipement en nerfs et en récepteurs, la verge est apte à répondre à toutes sortes de sollicitations, qu'elles soient mentales ou sensorielles.

La perception de témoignages de tendresse engendre une explosion de substances chimiques et de danses électriques au sommet du lobe frontal et au sein du cortex sensoriel. Ces messagers descendent alors le long des voies nerveuses autonomes, nerfs sympathiques et parasympathiques thoraco-lombaires, pour atteindre l'organe sexuel. C'est le cerveau qui initie l'érection, ce qui fait que cette commande échappe totalement à la volonté de son maître. Personne ne peut ordonner l'érection, ni ne sait pourquoi elle se produit.

Les amoureux n'ont certes pas attendu les découvertes de la sexologie pour savoir que la meilleure façon de réussir l'érection consiste à émouvoir l'organe par des excitations érotiques. Le fait de voir ou de lire une scène érotique, de sentir le parfum de la personne aimée, d'entendre sa voix, de recevoir des caresses génitales ou extra-génitales, de se souvenir d'elle par la pensée ou même dans le rêve suffit à ébranler l'activité du cortex sensoriel.

Toute jouissance au niveau de l'organe génital s'élève vers le cerveau en cheminant le long des nerfs honteux. Ces voies sont mixtes et fonctionnent dans les deux sens, si bien que les circuits se recyclent au rythme des accords et des transpositions. L'absorption de substances supposées aphrodisiaques peut influencer tel ou tel circuit nerveux en renforçant l'action de certains neurotransmetteurs. Mais, employées de façon isolée, elles se révèlent souvent insuffisantes et ne peuvent souvent pas faire éclore, seules, la fleur du plaisir. Leur efficacité dépend même de l'intégrité de l'organe. Autrement dit, les aphrodisiaques ne s'avèrent intéressants que dans le cas où ils agissent comme des adjuvants.

Par contre, lorsque l'impuissance est provoquée par une lésion précise des vaisseaux ou des nerfs de la verge, ces produits se montrent tout à fait inadaptés. Leur emploi prolongé entraîne même des effets secondaires préoccupants, surtout quand il s'agit d'excitants d'origine chimique.

Par ailleurs, la physiologie de la verge nous a révélé que ce n'était pas uniquement elle qui faisait l'amour, mais bien le cerveau qui, en tant que meneur de jeu et chef d'orchestre, s'en servait comme d'un instrument intermédiaire. C'est en fait l'être tout entier, corps et âme confondus, qui se dévoue au poème de l'amour. Alors la chair s'embrase, l'esprit devient confus et se perd dans le mystère de la passion. Au paroxysme de l'extase, le corps tout entier jouit comme un sexe, possédé par le démon de l'être adoré.

Un pénis en cache trois !

L'homme ne possède pas une seule verge, mais trois fusionnées en une seule. Nous savons en effet que les deux corps caverneux forment deux cylindres accolés et que dans leur sillon inférieur se loge un troisième élément, le bulbe dans lequel chemine le canal de l'urètre. Tout ce dispositif fonctionne pourtant comme un seul corps érectile qui s'allonge et grossit pour accomplir ses prouesses. Sa masse peut se multiplier par trois ou quatre et un pénis de dix centimètres de long au repos peut gagner cinq à six centimètres en cinq secondes, tandis que son diamètre peut s'accroître d'un centimètre encore.

Les dimensions de l'organe ne dépendent par ailleurs ni de la taille ni de la forme du nez, comme le veut la croyance populaire. Elles dépendent plutôt des gènes qui contribuent à sa genèse. Ainsi certains hommes petits présentent souvent un sexe envié surtout s'ils sont assidus et artistes en la matière. Dépourvu d'armature osseuse, le pénis humain est caractérisé par sa souplesse, son indiscipline, sa taille respectable ainsi que par ses performances en durée et en fréquence. Il y a là en effet de quoi rendre jaloux le gorille herculien dont le sexe grêle et minuscule, pour ne pas dire désespérant, ne fonctionne qu'une fois tous les deux ans et pendant une dizaine de secondes à peine !

Quand l'organe se place au zénith, il fascine, éblouit et adopte au-dessus de l'horizontale un angle aigu correspondant exactement à l'inclinaison du vagin. Il sait trouver d'instinct sa voie, quelle que soit l'évolution des ébats et possède une extraordinaire habileté grâce à son bout arrondi. Une peau délicate couvre ce gland, lui permettant ainsi de pénétrer, de glisser et de coulisser sans faire mal. La verge est bien l'une des merveilles de la Création !

Le secret de son talent diabolique vient des deux artères, paradoxalement appelées « honteuses internes » par les anatomistes pudiques, qui irriguent les trois corps érectiles. Elles s'y divisent en des centaines de milliers de tire-bouchons creux dans lesquels circule lentement le courant sanguin, emprisonné par les veines de sortie dont le calibre se rétrécit.

L'engorgement sanguin gonfle d'abord l'organe, c'est la phase de la tumescence qui jongle sur le délicat équilibre entre l'afflux massif de sang et sa sortie contrôlée et dosée. La gaine élastique (l'albuginée) des corps caverneux emprisonne en effet le sang pendant que les valves des veines imposent le tempo à la sortie. Le volume, la dureté, la chaleur et la rougeur renaissent. Mais il ne s'agit encore que d'un « stylo » chargé qui ne mérite pas sa médaille de virilité. Et il faut maintenant l'alchimie des neurotransmetteurs pour parfaire l'érection et son maintien grâce au dévouement des muscles du périnée qui hissent la verge comme un mât. Ce miracle de l'hydrodynamique a toujours sidéré les ingénieurs car l'organe ainsi transformé s'élance, vit et fait vivre, initie, se laisse initier et exécute les arabesques les plus ravissantes. Puis, soudain l'orgasme foudroie, secoue et paralyse.

Et comme nous l'enseigne Montherlant dans *Tous feux éteints*, « *Il n'y a que la volupté qui ne trompe pas.* »

Roger-Viollet

Médaillon de cuivre du XVIe siècle.
Musée de Moulins.

CHAPITRE X

LES ENVIES ET LES CONTRARIÉTÉS DU SEXE

Le sexe ne sait pas mentir

De nombreux facteurs peuvent affecter la virilité et ternir l'éclat du sexe jusqu'à compromettre plus ou moins définitivement ses capacités. Toute non-assistance à sexe en danger peut avoir des conséquences incalculables ! En effet, la défaillance de l'organe peut parfois refléter l'existence d'autres affections cachées, encore plus graves.

Une obstruction des artères de la verge, qui sont de même calibre que celles du cœur, peut par exemple révéler un état circulatoire préoccupant au niveau du muscle cardiaque. On ignore souvent qu'un sexe aux abois constitue en fait un cri d'alarme avertissant son homme que le reste du corps souffre aussi, et en particulier le cœur, le cerveau et les yeux !

Mais, alors qu'une jambe blessée arrive encore à boiter, un sexe malade ne peut plus s'épanouir. Il refusera également d'exprimer tout son talent si son maître est mal en point, tant physiquement que mentalement. Une activité sexuelle éblouissante est donc la traduction même d'une santé florissante. A l'inverse, la moindre de ses contrariétés cache quelque part un mal sous-jacent, méconnu ou ignoré, qu'il importe de détecter et de soigner au plus vite.

Ainsi, dans le pire des cas, ne pas pouvoir bander pourrait être le signe précurseur d'un infarctus. Le sexe est le miroir de la santé du corps et il nous avertit toujours, mais à sa manière, qu'un système de l'organisme fonctionne mal. Il est même le premier à nous le signaler, pour qui sait écouter ses messages. En d'autres mots, toute défaillance sexuelle nécessite donc un bilan général complet et notamment des examens sanguins, urinaires, hormonaux, vasculaires, neurologiques et ophtalmologiques.

Parmi les causes les plus courantes d'ennuis sexuels, on rencontre avant tout des lésions nerveuses et vasculaires. Viennent ensuite les intoxications et enfin les traumatismes. Ces trois premières causes sont d'ailleurs souvent liées. Le tabac et l'alcool, nos drogues quotidiennes, finissent elles aussi par mettre les nerfs à nu tout en bouchant les artères. De tels ravages désorganisent le concert des neurotransmetteurs et privent les corps caverneux de sang, d'oxygène et d'éléments nutritifs, ce qui ne manque pas d'avoir des conséquences désastreuses sur notre organisation sexuelle.

De plus, peu nombreux sont les hommes qui consultent volontiers leur médecin pour des troubles sexuels. Et pourtant, ces ennuis ne sont en rien exceptionnels. Dans un pays comme les États-Unis où l'on adore faire des statistiques, on estime qu'un homme sur dix en souffre. Il semble d'ailleurs que ce chiffre reste identique de ce côté de l'Atlantique. Désintérêt sexuel, érection brève, molle ou éphémère, éjaculation précoce, avare ou nulle, orgasme abrégé ou douloureux... sont les principaux troubles sexuels dont se plaignent les hommes.

Chez les femmes qui abusent de cigarettes, d'alcool, de tranquillisants ou de somnifères, on observe par ailleurs une baisse inquiétante de la libido (le désir) qui s'accompagne souvent d'un retard ou d'une absence d'orgasme. Toutefois, l'organisme féminin semble résister beaucoup mieux et les dégâts n'apparaissent souvent qu'après une très longue période d'inhibition.

L'impuissance imaginaire existe

Bon nombre de ceux qui disent être atteints d'impuissance souffrent en fait d'un mal imaginaire. Il s'agit dans la plupart des cas de personnes anxieuses qui ont besoin d'une explication claire et compréhensible de l'anatomie et de la physiologie de leur organe sexuel. Il arrive par exemple qu'un homme se sente frustré et inhibé en raison de la petitesse de son sexe.

Chez les hommes, la nature s'est en effet ingéniée à créer des organes de toutes les tailles et de tous les volumes dont les extrêmes vont de dix centimètres à trente-cinq. Mais que les inquiets se rassurent, ce n'est ni la longueur ni le volume de la verge qu'apprécie l'amour, c'est sa créativité.

Une fois informés, rassurés, encouragés et rendus confiants par une mise en pratique réussie, ces sujets récupèrent normalement leur activité. Ils savent que « *c'est en forgeant que l'on devient forgeron !* » Dans ce cas de figure, l'impuissance est dite psychogène. Le seul fait de pouvoir procurer des conseils utiles à ces inquiets leur permet bien souvent de pouvoir s'envoler de leurs propres ailes. Dans certains cas aussi, le novice a la chance de rencontrer l'idylle qui le guide vers l'accomplissement de la plénitude. Mais attention, l'impuissance préméditée existe aussi ! Il arrive qu'un homme perde toutes ses capacités avec sa conjointe et avoue par ailleurs se comporter comme un Casanova avec sa maîtresse.

Toutefois, la situation n'est pas toujours aussi simple. Une cause psychogène peut très bien se greffer sur une lésion organique et vice versa. De plus, distinguer l'impuissance psychogène de l'impuissance organique n'est nullement aisé, d'autant que de nombreuses altérations du cerveau peuvent ne se manifester que par des troubles psychiques et, à l'inverse, des symptômes nerveux peuvent très bien être provoqués par l'affection d'un organe autre que le cerveau : le foie, le rein, les os ou les glandes surrénales...

Pour savoir s'il y a effectivement des lésions nerveuses à l'origine de l'impuissance, on a la possibilité de pratiquer l'enregistrement continu des variations du volume de la verge pendant le sommeil. En cas d'absence de lésions, une érection apparaît en effet périodiquement lors du sommeil profond. Une érection franche prouve même l'absence de lésions nerveuses et vasculaires. Mais ce type d'examen, bien que fiable, s'avère long et coûteux.

Actuellement, on préfère injecter une petite dose de papavérine dans l'organe, ce qui réveille aussitôt la verge de sa torpeur. L'érection qui en résulte montre que les artères de l'organe restent béantes et que les troubles sont d'origine nerveuse, soit psychogène, soit neurologique, ou les deux. Alors, seul le test du sommeil permet de trouver la cause réelle de l'impuissance. En pratique, le médecin recherche d'abord des signes neurologiques au cours de l'examen général. Si l'intéressé présente effectivement des signes de déficience nerveuse, on lui fera alors passer le test du sommeil et les lésions nerveuses découvertes seront traitées. Par contre, si l'examen clinique montre que le système nerveux fonctionne parfaitement, on lui proposera plutôt le test à la papavérine. L'absence d'érection, dans ce cas, signifiera que les artères sont obstruées, le test du sommeil n'est donc pas utile. On s'orientera ensuite vers l'étude des vaisseaux et la recherche d'une maladie générale (diabète, goutte, intoxication tabagique...).

En revanche, si l'érection survient grâce à la papavérine chez un sujet ne présentant aucune souffrance nerveuse, cela confirmera que ses artères et que ses nerfs sont sains et que ces troubles proviennent plutôt de causes psychogènes. Dans cette éventualité, on lui fera alors passer un enregistrement nocturne continu. Seuls les plaignants ne présentant aucune anomalie nerveuse ou vasculaire nécessitent donc vraiment le test du sommeil. Le but des analyses de laboratoire est de dépister des cas de diabète ou de goutte, de taux élevés de graisses sanguines (triglycérides, cholestérol, lipoprotéines de densité légère) ou encore un niveau anormal d'urée, en cas d'insuffisance rénale.

Les examens du plasma ont pour but de relever les variations de la sécrétion hormonale (testostérone, prolactine, œstrogène et progestérone chez la femme, FSH et LG qui sont les hormones sexuelles du cerveau), et l'état fonctionnel et enzymatique du foie en cas d'intoxication alcoolique.

Par contre, les tests biologiques effectués pour analyser les dégâts provoqués par la cigarette, les tranquillisants ou les somnifères, ne sont pas faciles à interpréter.

Prenez votre sexe à cœur

Il serait erroné de considérer comme banale une déficience sexuelle dans la mesure où elle est souvent l'annonce d'un mal caché, encore plus sérieux. Il ne faut donc en rien la considérer comme une maladie honteuse, ce qui aurait pour conséquence de faire évoluer les lésions. On a tendance à croire qu'une consultation doit se faire chez un spécialiste et nécessite des examens compliqués mais cela est tout à fait faux. Le bilan neurologique, d'importance capitale, est composé de tests simples que tout médecin pratique quotidiennement, qu'il s'agisse d'impuissance ou pas.

L'examen général commence par des questions simples portant sur le mode de vie du patient, car il est responsable de quasiment 80 % des troubles sexuels ! L'abus d'alcool et de cigarettes, la prise de calmants, de somnifères et éventuellement d'autres médicaments (la liste de ceux qui sont susceptibles de perturber l'érection est hélas longue), le poids, la qualité du sommeil (surtout chez les gens travaillant au rythme des 3 huit), le surmenage, l'excès ou le manque d'exercices physiques ou encore des conflits affectifs, constituent autant de nuisances qui attristent l'ambiance érotique.

Le médecin procède ensuite à l'examen neurologique. Il évalue la force et la coordination des mouvements, étudie les réflexes des membres inférieurs et recherche la sensibilité du périnée, des pieds et des organes génitaux en les effleurant avec un pinceau. L'étude de la tonicité anale, par le toucher rectal, la marche sur les talons et sur la pointe des pieds, sont des gestes cliniques qui peuvent renseigner le médecin sur l'existence éventuelle ou suspecte d'une déficience nerveuse périphérique ou centrale. Le réflexe bulbo-caverneux s'obtient en pinçant le sexe avec la main gauche pendant que l'index droit perçoit une contraction simultanée du sphincter anal. Le retard de cette contraction peut être enregistré sur un électromyographe. L'absence de retard prouvera que les nerfs sacrés (S2-S4) reliant la verge, les centres de la moelle épinière (le névraxe) et le sphincter anal fonctionnent parfaitement bien dans les deux sens. Cet examen simple est fondamental car, en cas de lésions nerveuses périphériques (névrite alcoolique, diabétique, goutteuse), la présence d'une anomalie est constante.

En cas de besoin, des appareils perfectionnés mesurent la vitesse de conduction des nerfs honteux de la zone anale, explorent les muscles du périnée et le nerf dorsal de la verge situé sous le pubis. Ces examens, indolores, fournissent la preuve d'une altération nerveuse qui se traduit par un long retard d'érection ou par sa disparition. Au cours de l'examen clinique, la palpation des artères au niveau de la cheville, du genou et de l'aine, l'auscultation des gros vaisseaux du ventre, la prise de la tension et même celle de la verge (avec un tensiomètre pour enfant), renseignent de l'état circulatoire. La tension maximale du pénis doit être aux environs de dix à onze. Une verge pâle, flasque, froide et sans poils, ayant une tension basse et ne présentant ni rougeur ni mouvement quand on la pince (comme c'est le cas chez un grand fumeur) traduit souvent une obstruction des artères.

Le médecin peut observer en direct ces artères meurtries en examinant le fond de l'œil où les vaisseaux souffrants de la rétine ont alors un trajet sinueux et irrégulier causant parfois des taches hémorragiques. Une consultation du médecin pour troubles sexuels aura permis dans ce cas de dépister et de traiter une complication silencieuse au niveau des yeux.

Parfois, le bilan est complété par une thermographie donnant une photo colorée de la température cutanée de l'organe. Toute insuffisance de température est le signe d'une mauvaise irrigation. La surprise des dégâts est parfois telle qu'il faut rapidement compléter le bilan par des examens spécialisés. On peut ainsi déceler des états cardiaques, cérébraux ou vasculaires d'une extrême gravité. Dans une telle situation, le problème sexuel passe évidemment au second plan, mais il a au moins permis d'alerter et de concentrer les soins sur les organes qui souffrent. Lorsque le test à la papavérine révèle une érection timide, une insuffisance d'irrigation de l'organe est à craindre. On recourt dans ce cas au doppler. Le médecin promène un petit « stylo » émettant des ondes radar à la racine de la verge, en suivant sa circonférence. L'appareil à ultra-son enregistre ainsi les ondes pulsatives des cinq ou six artères péniennes (deux artères centrales caverneuses, deux artères bulbaires, une ou deux artères dorsales de la verge). L'examen, tout aussi indolore que le précédent, permet de connaître le nombre d'artères qui sont bouchées par les plaques d'athérome formées par les dépôts de graisse.

Le cerveau, organe suprême, n'est nourri à titre de comparaison, que par quatre artères, le cœur par deux et l'œil par une seulement. Il n'y a que la verge qui en reçoive cinq ou six et ce, pour être sûr qu'elle soit toujours correctement alimentée. De plus, ces artères sont par leur structure, dotées d'une énergie extraordinaire. Quelques secondes leur suffisent pour multiplier leur calibre, leur contractilité et leur débit de sang par six. La nature a donc doté la verge de nombreux atouts et prévu plusieurs dispositifs de sécurité et de compensation. Avouons qu'il faut bien des erreurs répétées et de la mauvaise volonté pour arriver à disloquer cette machinerie incomparable.

Contrairement à ce que l'on pense, l'âge n'est pour rien dans l'éclipse de la virilité. Revivre une deuxième jeunesse au troisième âge devient même vital si l'on ne veut pas que se tarisse la sève et si l'on veut lutter contre le vieillissement précoce. Que l'on soit jeune ou moins jeune, le sexe reste toujours aussi puissant que vulnérable et les Don Juan de soixante-quinze ans ne sont pas rares ! Cela prête à sourire, surtout lorsque l'on pense que la médecine a inventé le concept d'andropause pour terroriser et condamner des millions de « vieux » au désert sexuel ! Aujourd'hui, heureusement, les progrès de la biologie ont balayé ces notions ridicules et prouvé que la virilité ne dépendait pas du taux d'hormones, mais de la santé générale et de la biochimie du cerveau. Quel que soit l'âge, l'activité sexuelle se poursuit normalement tant que se prolonge la vigueur.

Malheureusement, on rencontre de plus en plus de jeunes premiers, drogués et impuissants à vingt-cinq ans, sans parler des accidentés de la route, victimes de fractures de la colonne vertébrale qui se compliquent par des réflexes désordonnés (dysréflexie autonome). Les séquelles de ces blessures nerveuses se manifestent par des réactions inconfortables : la verge éjacule quand il ne le faut pas et refuse d'obéir quand il le faut. Ces discordances apparaissent également lors d'intoxications tabagiques ou alcooliques.

Lors d'un doppler, on peut aussi étudier l'état de la circulation veineuse de la verge ainsi que le temps nécessaire à sa vidange. Plus de la moitié des érections brèves résultent en effet de la « fuite veineuse ». La porte de sortie n'est pas assez verrouillée, ce qui se traduit par une érection molle et de courte durée. La cause habituelle de cette fuite en avant est essentiellement la cigarette. La nicotine et ses complices empoisonnent les sentinelles qui contrôlent l'écoulement de sortie et leur paralysie en laisse la porte ouverte. La perméabilité des capillaires, au niveau du gland, est également intéressante à connaître. A l'état normal, un gland légèrement comprimé pâlit puis reprend sa coloration rosée lorsque la compression cesse. On peut aussi étudier cette micro-circulation avec un pléthysmographe.

Certains patients se plaignent parfois de la présence d'une masse dure dans la profondeur de leur sexe. On réalise alors une échographie et les images en coupe permettent de mettre en évidence la présence, la morphologie et l'étendue d'un corps étranger qui est un bloc fibreux. Il s'agit de la maladie de la Peyronie dont le traitement relève souvent de la chirurgie.

L'examen clinique pratiqué par le médecin permet donc, en général, de diagnostiquer les grandes causes de l'insuffisance sexuelle. La thérapeutique est actuellement très efficace et comporte très peu de risques et d'effets indésirables. Un traitement médical simple suffit largement dans la plupart des cas, à condition d'éviter les excès de cigarettes et d'alcool.

La science au chevet du sexe

Nos connaissances du phénomène sexuel s'enrichissent chaque jour grâce à la coopération de divers départements. Aujourd'hui, la sexologie soigne les troubles sexuels chez l'homme comme chez la femme par la psychothérapie, la rééducation et les médicaments. De son côté, l'andrologie, une nouvelle branche de l'urologie *, se consacre à l'étude et au traitement des désordres affectant la virilité. Elle permet à la sexologie d'offrir une gamme de moyens thérapeutiques encore plus vaste, comprenant la chirurgie. Andrologues et sexologues ne s'opposent donc pas, ils se complètent pour le bonheur du sexe. Quant aux troubles sexuels féminins, bien plus rares que ceux des hommes d'ailleurs, c'est le ou la gynécologue qui les soigne.

S'il y a tant de spécialistes qui s'occupent du sexe, c'est qu'il ne faut jamais le laisser à l'abandon. Souvent, psychologues, psychiatres, cardiologues, neurologues, alcoologues et chimistes sont sollicités pour venir prêter main forte aux spécialistes. C'est souligner combien les troubles sexuels peuvent provoquer des problèmes touchant l'anatomie, la psychologie, mais aussi notre environnement socio-culturel et situationnel. La science vient de se rendre compte, bien après les artistes et les poètes, que le meilleur des anti-dépresseurs, que la plus féconde des muses, c'est l'amour.

Comme l'écrit le Dr Gérard Zwang dans son *Traité de sexologie, « Tout le corps profite de l'expérience amoureuse, c'est*

* Urologie : *Il s'agit de l'étude de l'appareil urinaire et, chez l'homme, de l'appareil génital.*

excellent pour les muscles, les articulations, les artères, les poumons et la peau. L'orgasme dilate les bronches des asthmatiques et possède un pouvoir préventif sur l'hypertension des femmes ménopausées. En outre, les bienfaits d'une activité érotique régulière sont bien connus sur l'humeur et le caractère. »

Etant donné que, comme nous l'avons démontré, les lésions nerveuses représentent la grande majorité des causes d'impuissance, les recherches se sont concentrées sur la structure délicate des neurones. Pour transmettre ses ordres à l'organe exécuteur, la cellule nerveuse doit normalement, non seulement produire des messagers chimiques, mais aussi du courant électrique à partir de sels minéraux porteurs de charges électriques positives ou négatives. A l'inverse du fil électrique, c'est le nerf qui produit lui-même son propre courant, règle son voltage et contrôle ses fréquences. Au gré des excitations, quelques atomes de chlore à charge négative (ions négatifs) sortent de la cellule nerveuse. En échange, un nombre égal d'atomes de sodium, de potassium ou de calcium à charge positive (ions positifs) pénètrent à l'intérieur de la cellule. Ces mouvements d'ions génèrent un courant et sa progression le long de la fibre nerveuse. La vitesse de leur rythme de passage est favorisée par des enzymes incrustées dans la membrane. L'une d'elles, la ATPase à ions de sodium et de potassium, fonctionne comme une véritable pompe. Il en est de même pour les autres enzymes qui assurent la coordination de la circulation des ions.

Toutes ces enzymes travaillent comme des douaniers qui prélèvent de l'énergie à chaque passage alternatif (des électrons) lesquels sont nécessaires à la production du courant électrique. Cependant, la structure de ces enzymes est extrêmement fragile. L'excès d'urée, en cas d'insuffisance rénale, de créatinine lorsque les muscles sont épuisés, d'acide oxalique dans les maladies digestives, d'acide urique dans la goutte, sans parler de la nicotine ou de l'alcool, dénaturent ces pompes à ions. La cellule nerveuse se gorge alors de chlore et de sodium. L'eau retenue par ces ions gonfle la cellule, la production d'énergie baisse et le courant s'affaiblit.

Il n'y a donc rien d'étonnant à ce que l'organe en question n'obéisse plus à ses ordres.

L'amour au couchant

Les hommes qui vivent dans la solitude connaissent tout simplement par manque de pratique, un déclin insidieux de leur fonction érotique. Semblable au cerveau et aux muscles, le sexe s'use en effet quand il vit dans l'oisiveté. Ainsi, il s'éteint dans l'ennui, le chagrin et l'isolement. Imperceptiblement, le désir disparaît, la verge ne frétille plus, l'érection s'évanouit. Quelques sujets conservent encore une tumescence hésitante et molle, l'éjaculation reste intacte mais avare. Une étude récente a montré que 20 % des sexagénaires qui n'ont pas de relations amoureuses perdent leur virilité après deux ans d'abstinence.

Pourtant, si le sujet a la chance de rencontrer l'âme sœur après une période de privation forcée, l'organe retrouve rapidement goût à la vie. La simple présence de l'inspiratrice produit des changements spectaculaires, même chez les sujets âgés. Ce miracle se produit également chez la femme, chez qui, le vagin rétréci par une longue chasteté refleurit sans se faire prier. Ces déficiences sexuelles, purement circonstancielles, se guérissent tout naturellement par la magie de la tendresse. Cette renaissance résulte de l'échange de molécules volatiles d'hormones qui sont émises par chaque partenaire. Les ébats déchargent aussi des bouffées de neurotransmetteurs qui contribuent à harmoniser les fonctions vitales. Les caresses, la compagnie et les petites attentions... suffisent pour égayer la vie. Différents de la peau, les sentiments ne prennent pas de rides !

Mais beaucoup, hélas, n'ont pas cette chance. Certaines personnes, bien que passionnément amoureuses, se trouvent handicapées par des affections qui accompagnent le troisième âge. Une arthrose de la hanche, par exemple, les empêche d'aller trop loin, ou bien une insuffisance cardiaque ou respiratoire du mari l'oblige à tenir un rôle de figurant.

Ces couples doivent savoir que si l'initiative change de camp, elle ne change pas d'âme. Dans ce renversement des rôles, la femme, perspicace et sensible, enchantera tout aussi bien son homme. Les conseils d'un sexologue peuvent dans ce cas être précieux. Il les aidera à choisir des positions adaptées, d'un érotisme peut-être insoupçonné. Ironie du sexe obligeant, il se trouve que le fonctionnement du système sexuel de l'homme est d'une extrême fragilité et se trouve donc plus sujet aux pannes que celui du « *sexe faible* » *!* C'est d'ailleurs pourquoi le « *sexe fort* » s'est de tout temps évertué à trouver l'aphrodisiaque idéal, son éternel fantasme.

Il est bon de savoir également que certains médicaments, somnifères, tranquillisants et certaines substances sont susceptibles d'altérer l'activité sexuelle par effet de croisement. La liste de ces médicaments est malheureusement très longue. Bon nombre d'entre eux abaissent la tension du désir au sein du cerveau, d'autres perturbent les enzymes des autres organes (rein, glandes endocrines, vaisseaux...) lesquels freinent indirectement l'activité sexuelle. Il est toutefois difficile de connaître exactement le mécanisme de ces effets indésirables, tant il y a de facteurs à la fois chimiques, individuels ou chronologiques qui interfèrent dans ce dérèglement. Les somnifères, les calmants et les tranquillisants, pris au début, perturbent peu l'homme amoureux. Son cerveau réagit rapidement en déchargeant de l'ocytocine, un système de renforcement capable de pousser le désir jusqu'au dépassement. Mais l'emploi prolongé de ces médicaments finit par épuiser les neurones qui ne peuvent plus lutter. Alors la vigilance diminue, la libido s'émousse et les récepteurs sensoriels s'endorment.

Actuellement, l'intoxication du système nerveux par le tabac, l'alcool, la drogue et les effets secondaires de certains médicaments représente la première cause de défaillance sexuelle. Le Tagamet (Cimétidène), un médicament efficace contre les ulcères de l'estomac et le clofibrate prescrit pour diminuer le taux des graisses sanguines, augmentent ainsi la sécrétion de la prolactine, une hormone qui freine l'activité des glandes sexuelles, supprime la sensibilité du cerveau vis-à-vis des hormones, et par là, la tension érotique. Presque tous les médicaments utilisés dans le traitement des affections nerveuses (sédatifs, antidépresseurs, psychotropes, tranquillisants) empêchent la dilatation des artères de la verge, ce qui rend l'érection difficile, insuffisante ou nulle. Heureusement, il est désormais possible de les remplacer par d'autres médicaments plus perfectionnés et dépourvus d'effets secondaires.

Le divorce n'est donc pas prononcé entre la volupté et les calmants. Il est peut-être nécessaire de recourir aux tranquillisants pour étouffer ses angoisses, mais croire que le Valium permet de résoudre les difficultés de la vie serait une erreur. Un comprimé de Témesta aide sans doute à dormir quand on manque d'exercice physique mais il ne remplace en aucun cas les bienfaits de l'activité musculaire et du changement d'air. Le comportement sexuel des hommes exige impérieusement un cerveau éveillé et imaginatif sans lequel la relation amoureuse serait privée de poésie et de tendresse.

La deuxième grande cause de l'insuffisance sexuelle est le diabète. Cette maladie ne pardonne ni aux nerfs ni aux vaisseaux et lorsque le régime diététique prescrit n'est pas correctement suivi, l'excès de sucre dans le sang finit par paralyser la verge. Ceux qui sont épargnés par cet inconvénient souffrent néanmoins de spasmes douloureux à chaque éjaculation. Ce dysfonctionnement s'appelle la dyséjaculie. Il se manifeste d'abord par la disparition progressive de l'orgasme, puis surviennent des sensations pénibles qui provoquent une véritable hantise de l'amour.

Chez les sujets bien portants, l'orgasme se caractérise par une série de convulsions indicibles qui explosent et envoûtent le corps et la conscience. Ces frissons de Vénus se succèdent à un rythme de 0,6 seconde chez l'homme comme chez la femme. Curieusement, chaque espèce animale jouit à sa manière et s'exprime selon sa propre fantaisie sur les ondes des circuits du plaisir et ce qui rend l'amour humain si poétique provient uniquement des sentiments et des passions que l'on y projette. Comment expliquer les curieux symptômes qui caractérisent la dyséjaculie ? Cette souffrance insolite est due à l'accumulation de sucre (le sorbitol) dans la gaine des fibres nerveuses. Et paradoxalement, la douceur, au lieu de plaire, fait mal. Il ne s'agit pas, en réalité, d'une gaine mais d'une cellule aplatie que l'on appelle cellule de Schwann. Elle s'enroule autour de la fibre nerveuse et lui assure protection, nourriture et assistance. Lorsque cette nourrice se gorge de sorbitol, l'aldose réductase, l'une de ses enzymes, en subit aussitôt les conséquences. Noyée par le sucre, l'enzyme se débat et dérègle la machinerie de la cellule. La gaine tombe alors en panne et prive inévitablement sa protégée d'aliments, d'air et de soutien.

On comprend mieux pourquoi la conduction du nerf devient moins efficace et pourquoi les ordres du cerveau sont mal transmis... Alors de fausses notes surgissent dans le chant de l'amour, des grincements agacent les ébats et des courts-circuits entrecoupent le plaisir. Souvent, chez le diabétique mal équilibré, l'obstruction des petites artères majore les dégâts nerveux. Le crépuscule de la verge surprend son homme à un âge où il devrait plutôt briller par sa maturité et son savoir-faire.

Pourtant, face à ces complications diabétiques, la biologie n'a pas baissé les bras. Elle a mis au point des inhibiteurs qui freinent les effets de cette réductase (phénytoïne et amitryptyline) et qui se révèlent fort efficaces contre les agressions sournoises de la maladie. Mais le meilleur traitement reste bien entendu la prévention. Elle consiste à respecter un régime alimentaire et à surveiller étroitement le niveau du sucre sanguin (la glycémie).

Les personnes hypertendues s'aperçoivent aussi fréquemment que leur virilité s'amenuise de jour en jour. Elles accusent l'hypertension de tous les maux et acceptent leur sort avec résignation, redoutant même que l'ardeur des ébats ne fasse éclater leurs artères fragilisées. Tout cela est à la fois injuste et irrationnel. En réalité, ce n'est pas la maladie hypertensive qui fatigue la verge, mais les médicaments ! La spirolactone, qui a le mérite d'être un excellent médicament contre l'hypertension, a aussi le fâcheux pouvoir de neutraliser et d'éliminer les androgènes. Plus machiavélique encore, elle produit les effets d'hormones femelles. Au bout d'un certain temps d'utilisation, elle fait pousser les seins (la gynécomastie) et féminise la voix. Face à cette ambiguïté inattendue, la libido, ne sachant plus à quel sexe se vouer, s'interroge, s'égare et génère moins de tension érotique. Le désir décroît et la verge se laisse aller à la dérive.

D'autres médicaments comme la réserpine ou le méthyldopa ont pour effet d'élever comme le fait l'alcool, la sécrétion de la prolactine. Or, cette hormone de lactation freine le désir. Il est cependant facile de supprimer ces effets indésirables en utilisant de la bromocriptine, un anti-prolactinique extrait de l'ergot de seigle des sorcières de jadis. Si le méthyldopa ne désarme pas, il peut bloquer soit seul, soit lié à la guanéthidine, certains récepteurs alpha des artères. Le duo ramollit l'érection, gomme l'orgasme et fait tarir le sperme. Les béta-blaquants, qui sont les médicaments majeurs utilisés contre l'hypertension, présentent les mêmes inconvénients en freinant l'activité de la noradrénaline dans les circuits profonds du cerveau.

Mais, les progrès de la médecine aidant, de nouveaux produits sont aujourd'hui disponibles. Des hypotenseurs (tenolol, captopril) dotés d'encore plus d'efficacité et qui respectent la sensibilité de la verge ont été synthétisés. Ces exemples montrent bien que la science n'a pas non plus trouvé l'aphrodisiaque idéal. Mais elle a compris que les voies de l'amour sont multiples, elle est consciente de l'immensité du défi qui lui est proposé et elle résoudra les problèmes cas par cas, en offrant à chacun la solution qui lui permettra de s'envoler de ses propres ailes.

Arsenal moderne contre vieux démons

En attendant la découverte d'une mythique fontaine de jouvence, la médecine et la chirurgie ont néanmoins accompli des progrès remarquables. L'erreur serait toutefois de croire que les solutions apportées par la science sont idéales. Certes, la physiologie de l'organe sexuel, la neurochimie du cerveau et les vertus réelles des plantes n'ont plus de secrets pour nous mais n'oublions pas que si ce que propose la médecine moderne semble si éblouissant, c'est qu'elle a su s'inspirer d'idées ancestrales, suivre les traces des anciens et puiser dans ses racines les remèdes d'antan qu'elle a ensuite analysés et perfectionnés de jour en jour. La science procède ainsi méthodiquement par étapes, en allant du simple au complexe, dans le diagnostic des causes comme dans le traitement. Mais en aucun cas elle ne peut conférer la romance et la poésie qui appartiennent au génie propre de chaque couple.

Actuellement, les grands fumeurs peuvent bénéficier d'un traitement à l'isoxsupide (Duvadilan) à raison d'un comprimé de 20 mg deux à trois fois par jour. La tolérance à ce produit s'avère satisfaisante. Il dilate les artères, stimule les récepteurs bêta-adrénergiques et renforce le mécanisme de l'érection et de la libido. Evidemment, ce médicament ne fait pas de miracle si le sujet continue à fumer.

La yohimbine, l'ancien philtre des sorciers d'Afrique, accède encore de nos jours au rang de remède universel. Elle dilate les corps caverneux et réconcilie les amoureux en stimulant la sécrétion d'hormones antidiurétiques, lesquelles jouent un rôle actif dans l'alchimie hormonale du cerveau, surtout quand elles sont associées au Duvadilan. On évite toutefois de la recommander en cas d'hypertension et d'insuffisance rénale.

Lorsqu'une insuffisance hormonale est détectée, en particulier chez les sujets qui abusent d'alcool, l'effet de la bromocriptine se montre fréquemment spectaculaire. Ce médicament, prescrit seul ou en association, neutralise la

Mots et Images

ACTIVAROL.
Affiche publicitaire parue vers 1960.
Laboratoires de l'Hepatrol.

Mots et Images

OPO-STIMULANT.
Affiche publicitaire parue vers 1950.
Laboratoires Flach.

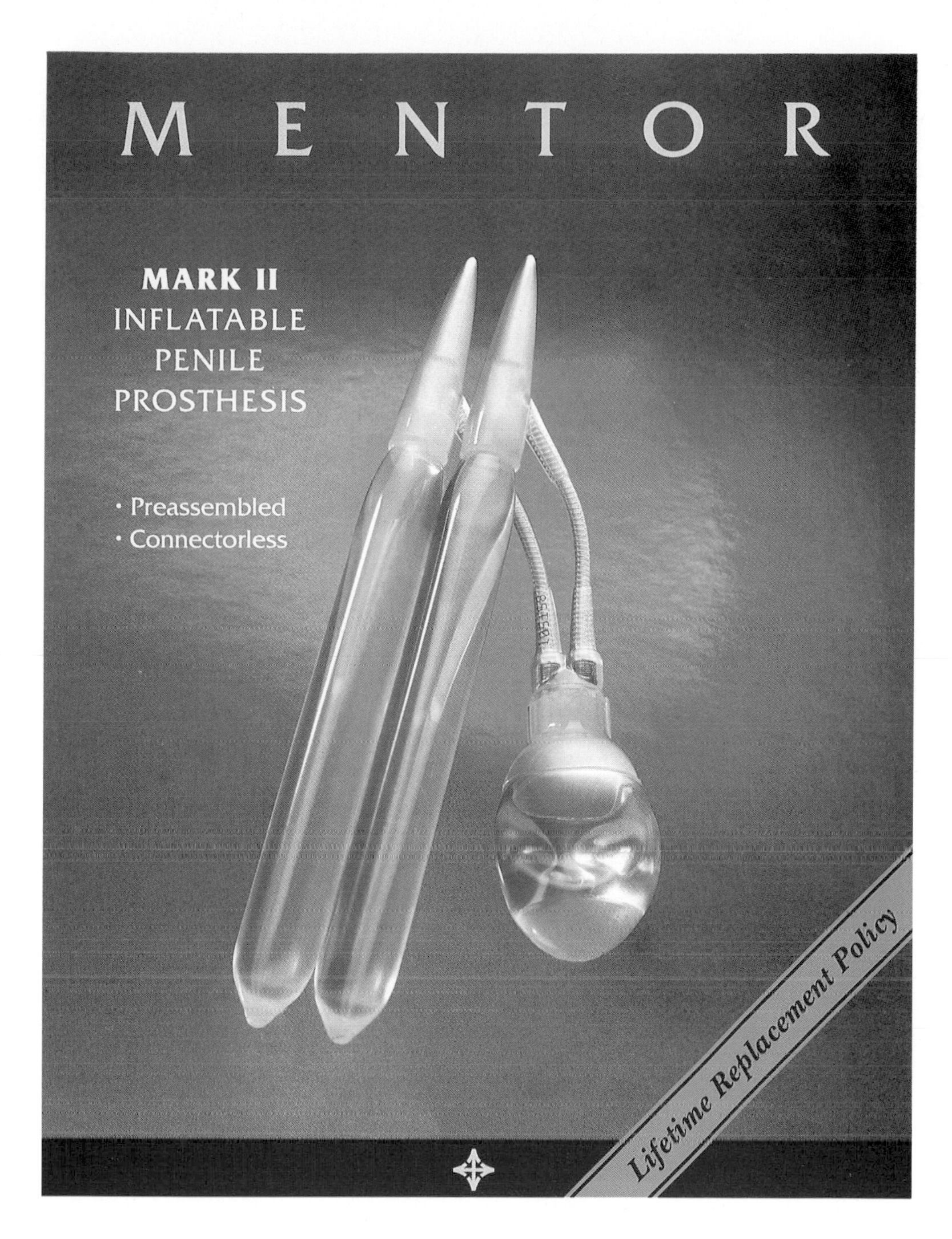

Prothèse pénienne gonflable.
Mentor Corporation, 1991.

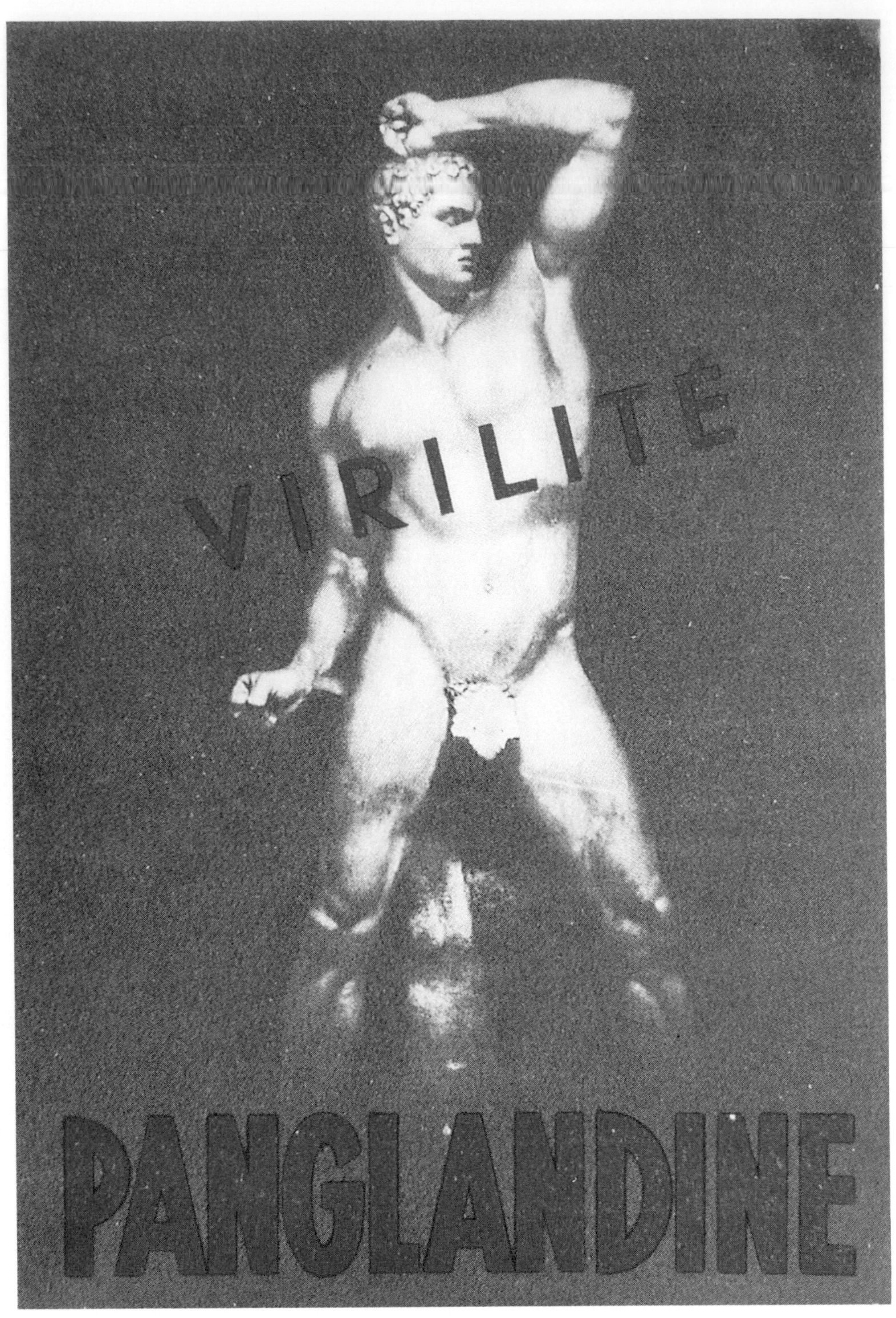

Mots et Images

PANGLANDINE.
Affiche publicitaire parue vers 1951.
Laboratoires Couturieux.

prolactine que déchargent les centres profonds du cerveau et la glande hypophyse, en réponse à toute toxicomanie. Mais ici encore, il est impérieux d'arrêter la boisson.

Ceux qui ne peuvent pas se passer de leurs tranquillisants reçoivent quant à eux de la trazodone, un anti-dépresseur comportant moins d'effets nuisibles. Le même problème se pose en cas de pilule contraceptive inadaptée qui coupe l'appétit de la passion. Selon les statistiques, le nombre des femmes insatisfaites va de 5 à 30 %. Mais il est possible de remplacer leur pilule habituelle par une autre, contenant moins d'hormones. Les laboratoires travaillent désormais sur d'autres hormones sexuelles du cerveau dont les neuropeptides (gonadolibérine). Les pilules de demain seront dépourvues d'effets secondaires, pourront même être excitantes et seront destinées aux maris, elles s'administreront par vaporisateur !

Pour les hommes qui ne supportent aucun médicament, les chercheurs se sont inspirés des antiques cataplasmes et ont confectionné des pommades à base de nitroglycérine (à 10 %) ou de minoxidil (à 2 %). Ce dernier est notamment connu pour son intensité dans la dilatation des vaisseaux, lesquels induisent à leur tour le relâchement des fibres musculaires lisses de la paroi artérielle. Appliqué localement sur la verge, il engendre une rigidité aussi appréciable qu'appréciée. Cette méthode simple compte de nombreux adeptes.

Il faut parfois souffrir pour aimer...

Les chercheurs qui ne manquent point d'imagination, se sont souvenus que les anciens, pour provoquer une érection, se faisaient piquer au bon endroit et au bon moment par une abeille spécialement dressée dans ce but.

De nos jours, c'est le médecin qui se transforme en abeille. Il démontre d'abord au patient atteint de lésions nerveuses que l'érection reste encore possible en lui injectant un peu de papavérine dans la verge. Le patient apprendra à son tour cette technique et se piquera au moment opportun. En général, si les artères ne sont pas obstruées, la papavérine dilate les vaisseaux, bloque les veines de sortie et réveille les récepteurs qui s'épanouissent devant la valse frénétique des neurotransmetteurs. L'érection obtenue paraît miraculeuse. L'organe se dresse au bout de trois minutes et reste rigide pendant plus d'une heure ! L'impact psychologique qui en résulte dépasse toute espérance. Le sujet qui se croyait condamné définitivement à cause de ses lésions nerveuses, revit comme par enchantement. Il arrive aussi que la partenaire, ravie de cette renaissance, s'initie elle-même à la technique, ce qui évite l'auto-injection au mari.

Toute forme de tendresse est toujours la bienvenue dans ces cas-là. L'euphorie facilite la maîtrise de la technique et permet de vaincre l'appréhension. Le couple apprend vite à manier la petite ampoule de papavérine (1 ml), à préparer la seringue et à choisir l'endroit de la piqûre.

Le médecin, de son côté, est là pour leur indiquer les mesures de propreté à respecter et les précautions à prendre. L'injection se fait au dos et au milieu de la verge, près de la racine. Il faut néanmoins éviter la veine dorsale qui est reconnaissable par son relief. Toute blessure veineuse entraîne un hématome qui nécessite alors une légère compression prolongée. Malheureusement, l'émerveillement ne dure pas toujours. Au bout de quelques mois ou de quelques années la dentelle de vaisseaux sinusoïdaux de la verge se bouche. L'organe se sclérose et il faut alors changer de produit.

Phentolamine, prostaglandine E1, nicergoline, polypeptides intestinaux vasoactifs, neurotransmetteurs et antidépresseurs (thorazine), pratiquement tous les vasodilateurs et autres substances injectables susceptibles d'émouvoir la verge ont été essayés, combinés et parfois abandonnés. Certains gourmands en abusent même et agressent l'organe qui se fâche et se fige dans sa dureté. C'est le priapisme qui menace de provoquer une verge de bois ! Le traitement est alors urgent. Le sang emprisonné dans la verge doit être aspiré immédiatement et évacué grâce à une irrigation à la dopamine. A la longue, des complications se produisent toujours. Tout comme un stylo bouché, une verge sclérosée ne peut plus se remplir. L'expérience prouve néanmoins qu'il ne faut désespérer de rien. On explore une autre voie et l'on se souvient des chevaliers dont parlait Montaigne et qui portent armure, cuirasse et brayette, pour rehausser la splendeur de leur organe...

La prothèse : une armure pour le sexe

La majorité des cas d'érection brève ou d'éjaculation précoce résulte d'une fuite veineuse au sein d'un pénis incapable de retenir plus longtemps son trop-plein. C'est pourquoi les médecins avaient au début proposé de fermer le robinet par la section et la ligature de la veine dorsale profonde de la verge.

En cas de besoin, le diagnostic se fait par l'injection de papavérine associée à un liquide opaque (une cavernographie), ce qui permet de visualiser la sortie du courant sanguin par la veine. La vitesse d'écoulement est calculable par doppler. Au cours de l'opération, qui est réalisée sous anesthésie locale ou régionale, on lie et coupe cette veine. La porte de sortie est ainsi verrouillée et allonge considérablement le temps et le maintien de l'érection.

Cependant, ce succès éclatant (plus de 70 % des cas) ne dure pas. On semble oublier que la verge est un organe vivant qui sait parfaitement se débrouiller dans les conditions les plus difficiles. Après quelques années, de nouvelles veines se forment, se dilatent et recréent la situation initiale. C'est alors que les chercheurs ont inventé la prothèse externe. Dans ce combat de Sisyphe, l'ingéniosité de l'homme est admirable.

L'organe paresseux portera désormais une armure élégante, en plastique transparent, ornée de surcroît d'une couronne élastique. Il s'agit en fait d'une pompe à vide en forme de doigt de gant. Le patient introduit sa verge dans le tube comme s'il s'agissait d'un préservatif, puis il actionne manuellement une pompe qui expulse l'air de l'étui. Le vide ainsi créé aspire le sang vers l'organe. Dès que l'érection se réalise, on glisse aussitôt l'anneau élastique sur la racine de la verge. Le caoutchouc comprime la veine comme un garrot, il bloque la porte de sortie et retient le sang dans l'organe pour maintenir l'érection. Ce dispositif astucieux permet de fonctionner pendant une heure. Au-delà de ce délais, la compression risque d'étouffer la verge.

Ce petit gadget, commercialisé sous le nom de « *Erect Aid System* » est conseillé à tous ceux qui souffrent d'altération nerveuse mineure, sans obstruction des artères. Leur érection, à la fois timide et éphémère, suivie d'une éjaculation précoce, sera largement maîtrisée grâce à l'anneau de caoutchouc mis en place. On recourt à ce simple appareil lorsqu'aucun médicament ne s'avère efficace, ce qui permet aussi d'éviter les injections et la ligature chirurgicale de la veine dorsale.

Lorsqu'hélas toutes les artères de l'organe sont bouchées, à la suite d'une longue intoxication tabagique, d'un diabète mal contrôlé ou d'un accident avec rupture des vaisseaux, la seule façon de réanimer l'organe mourant est de l'irriguer par une circulation correcte. L'opération, baptisée « revascularisation », consiste à ravitailler l'organe par un pontage, à l'aide d'une veine prélevée sur la jambe ou ailleurs. Souvent on court-circuite une artère voisine (l'artère épigastrique) et l'on dévie le courant vers l'organe.

Toutes ces prouesses chirurgicales sont délicates et ne se décident qu'après un bilan radiographique minutieux (l'artériographie) qui localise le siège, précise le nombre et l'étendue des dégâts causés par les artères bouchées ou endommagées. Dès que la verge reçoit un sang nouveau et vivifiant, elle se réanime, remue et récupère rapidement son élan perdu. Le résultat est excellent chez les jeunes personnes ayant été victimes d'accidents de la route. Par contre, en cas de toxicomanie, de diabète et d'arthérosclérose, le pénis, après un ou deux ans de bravoure, se meurt à nouveau en raison de l'épaississement des artères qui sont encombrées de tissus fibreux.

Pourtant, la situation n'est pas irrémédiable pour les verges de bonne volonté ! Chirurgiens et radiologues s'allient et se dévouent à la cause. Ils introduisent une sonde munie d'un long ballonnet, par ponction cutanée, pour dilater les zones rétrécies, soit au niveau de l'artère iliaque interne, soit au niveau de l'artère honteuse interne. On profite même de l'intervention pour instiller dans l'artère des substances susceptibles de dissoudre les caillots ou les plaques d'athérome, qui sont des dépôts de graisse. Cette « reperméabilisation » rétablit la circulation sanguine pour un certain temps et l'on peut recommencer la même dilatation en cas de besoin.

L'andrologie s'avouera-t-elle un jour vaincue ? C'est ignorer qu'elle a plus d'un tour dans son sac, même dans les cas les plus désespérés. Il est vrai que tant qu'il y a du sperme, il y a de l'espoir. En cas de lésions nerveuses et artérielles graves ou lorsque l'on a affaire à des opérés, après amputation rectale pour cancer, on peut encore recourir à la mise en place d'une prothèse au sein de chaque corps érectile. On imite donc ainsi le pénis des chiens et des gorilles qui est armé d'un os.

Les premières verges artificielles qui furent créées péchaient par excès. Ces prothèses étaient trop volumineuses et ambitieuses. Tant qu'à remplacer, on pensait qu'il fallait mettre les plus grosses et les plus longues ! Certaines prothèses étaient même dotées d'un cran que l'on réglait selon l'angle de tir... D'autres, gonflables et hydrodynamiques, sont armées d'une pompe à liquide huileux qui occupe la place d'un testicule. L'utilisateur la presse au moment voulu, le liquide remonte et remplit la prothèse. La verge ce comporte presque ainsi comme une boîte à musique que l'on remonte à chaque occasion. L'inconvénient, c'est qu'il faut également faire rentrer le liquide dans son réservoir et il arrive que les rouages de cette mécanique fonctionnent mal. Le liquide, bloqué, ne peut venir soutenir la verge qui le réclame vainement. Pire encore, il arrive que la verge soit bel et bien gonflée, mais que le liquide refuse de retourner dans le réservoir. L'organe reste alors figé dans toute sa raideur... Bon nombre de complications sont également dues à des problèmes d'infection, d'intolérance et de fracture de l'appareil lors d'ébats trop ardents. Il arrive aussi qu'une prothèse trop courte, non faite sur mesure, glisse en arrière. Le bout de la verge s'incline alors comme le nez du Concorde. Elle engendre souvent une douleur désagréable qui oblige à changer de prothèse.

Actuellement, et après bien des essais et des tâtonnements, nous avons adopté une attitude plus modeste. Des « baguettes » en plastique, moins prétentieuses et plus faciles à mettre, sont à présent utilisées comme prothèses. Mais la verge, inflexible, pointe toujours en avant et il faut maintenant lutter pour la ramener à la position de repos. Pour le moment, la solution consiste à employer une matière synthétique moins rigide, à trouver un compromis entre la raideur et la souplesse car, comme nous l'explique le philosophe V. Jankélévitch :

> « *L'amour, c'est un problème résolu à l'infini.* »

CHAPITRE XI

À LA RECHERCHE DU SEXE PERDU

Le mythe des excitants

Aujourd'hui comme jadis, les caresses n'ont pas changé et la sentimentalité non plus. Au temple de l'Amour, Aphrodite exige toujours un esprit sain dans un corps sain. Mais à travers les époques et les continents, les idées reçues sur la sexualité ont foisonné et les fantasmes persistent encore de nos jours. Le désir de l'homme reste insatiable.

Nous savons que toutes les substances dites aphrodisiaques, quelle que soit leur origine, déclenchent des réactions sexuelles contre nature. Les produits tant vantés par le commerce servent en fait à donner un coup de fouet mais sans aller au fond des choses. La plupart d'entre eux comportent tellement d'effets toxiques qu'ils s'avèrent pratiquement inutilisables. L'homme qui se trouve confronté à une panne transitoire de son organe se trouve face à deux solutions, toutes deux imparfaites : ou bien il se contente de poudres de perlimpinpin, d'élixirs trompe l'œil bricolés dans des laboratoires fantômes, ou bien il s'aventure à utiliser des drogues dures ou douces qui tuent le sexe au lieu de le vivifier.

L'Ecstasy par exemple, alias MDMA (pour Méthylène-dioxyde-Métamphétamine) est une substance chimique extrêmement dangereuse qui est vendue sous forme de gélules blanches ou multicolores. Elle rend euphorique mais piège et abat son homme comme le font l'alcool, la cocaïne, les amphétamines, le LSD ou l'amineptine. Au début, la prise d'Ecstasy occasionne plutôt des nausées et des sensations de vertige, puis le sujet se croit plongé dans une bulle d'arc-en-ciel qui le transporte dans un univers de jouissance sensorielle. Le moindre câlin soulève lui un orgasme qui secoue, et fait éclater là un bonheur dont la conscience n'avait jusque là aucune idée. En fait, ce produit n'agit pas comme un aphrodisiaque. Il aiguise simplement la perception des sens et l'on passe très vite à l'overdose qui foudroie sa proie d'une hypertension brutale, de convulsions cardiaques et d'un coma profond dû aux lésions du cerveau. Bien qu'il soit classé parmi les drogues les plus dangereuses, il continue à se vendre sous le smoking, de bouche à oreille, dans les boîtes et les bars branchés.

Tout aussi diaboliques sont les ampoules de Popper qui contiennent une solution de nitrite d'amyle et furent très prisées dans le milieu gay américain des années 60. Cette mode a ensuite envahi l'Europe. En France, son interdiction n'eut lieu qu'en mars 90 et pendant trente ans, ce produit excita tranquillement le sexe tout en frappant le cœur. Ces accidents se manifestent principalement par des étouffements et des arrêts cardiaques.

De tout temps, les marchands d'illusions ne manquèrent guère. Mais à trop rêver, on finit parfois par forcer la réalité et par se faire proprement « piéger » par le cycle infernal des drogues. Comme Ulysse, il faut donc savoir ne pas se laisser bercer par le chant des sirènes... Si tant d'hommes recourent à des moyens factices pour mettre en branle leur sexe, c'est souvent qu'il existe quelque part un blocage qui les empêche de canaliser leur désir vers le sexe. Vue sous cet angle, l'impuissance ne peut donc pas être uniquement appréhendée dans sa réalité biologique puisque d'autres facteurs, tant organiques que psycho-culturels ou ambiants s'y mêlent intimement.

Pour combattre la défaillance sexuelle, il faut donc agir sur l'ensemble du système du désir, et non pas seulement sur le bout de l'organe. La sexualité humaine n'a aucun rapport avec la tuyauterie. C'est la méconnaissance de notre origi-

Agence Mots et Images.
Réclames parues dans la Presse en 1906 et 1908.

nalité qui explique l'échec des aphrodisiaques qui ont tant déçu, voire ruiné leurs adeptes.

Chez les humains, l'organisation du système du désir est d'une telle complexité qu'aucune substance n'est envisageable pour pouvoir influencer quoi que ce soit. Bourrer le corps d'hormones ou d'excitants ne sert à rien car ces molécules, au lieu de réveiller le sexe, l'abattent bien au contraire. Elles anéantissent même toutes les facultés supérieures du cerveau. C'est bien ce qui explique pourquoi les Empereurs chinois, gavés de ginseng et de corne de rhinocéros, mouraient très jeunes, exception faite du mythique Shinh Nong qui aurait vécu huit cents ans ! Les rares produits qui excitent l'imaginaire sont des drogues et c'est un peu comme si l'on s'amusait à verser de l'huile sur le feu.

Tout homme normalement constitué et intensément amoureux décharge suffisamment d'hormones et de neurotransmetteurs dans son organisme pour animer les flammes de la passion. Il n'a donc pas besoin de recourir à quoi que ce soit sinon la tendresse. L'amour doit apparaître avant tout comme un art et non pas comme une mécanique. Sans chaleur et sans poésie, le sexe s'ennuie, perd sa raison de vivre et sa part du sublime.

Exception faite des grandes maladies que nous avons étudiées précédemment et qui demandent un bilan médical, les petites pannes que l'on observe parfois ne nécessitent en soi aucun excitant. Ces ennuis, plus ou moins passagers d'ailleurs, proviennent en général de la fatigue, de l'abus de tabac, d'alcool, de somnifères, de tranquillisants ou tout aussi bien d'un manque d'assiduité. Tout sexe s'use quand on ne s'en sert pas et dans toutes les circonstances, ce n'est nullement le sexe qui est défaillant, mais bien le système du désir situé dans le cerveau. Le fait de recourir aux aphrodisiaques ne permet donc pas non plus de sortir de l'impasse. L'intéressé est au contraire entraîné dans la spirale de méfaits toxiques qui vont l'enchaîner davantage.

Les aphrodisiaques les plus merveilleux existent mais ils sont naturels et se trouvent dans la cerveau même du sujet qui les cherche partout ! C'est la vue de l'être aimé, le contact de son corps, c'est aussi le son de sa voix, son parfum, son image, le souvenir de délices et d'épreuves passés ensemble qui sont les vraies stimulations qui bouleversent, fascinent et inspirent la passion. Nos contemporains semblent bien avoir oublié la recette la plus aphrodisiaque, la plus infaillible, et la plus éternelle qui soit :

> « *Le seul philtre auquel j'ai eu recours, ce sont des baisers et des étreintes...* »
>
> (Lucrèce, *L'Arétin*)

À quoi sert un sexologue ?

A l'évidence, l'humanité n'a pas attendu la naissance de la sexologie ou de l'andrologie pour s'apercevoir qu'il faut beaucoup d'amour et de caresses avant de livrer la verge à la chimiothérapie et au port de gadgets de tous calibres. Si la science se lance aujourd'hui dans ce domaine à la fois présent, mouvant et insaisissable, c'est parce que la sexualité humaine est une chose sérieuse, en étroite relation avec le reste de l'organisme et des états d'âme. Son dysfonctionnement, qui est souvent de cause minime, peut avoir des répercussions profondes sur le psychisme et le comportement.

Proposer un bilan spécialisé dès l'apparition de la moindre contrariété serait certes excessif puisque les causes psychogènes sont innombrables. Mais dans la majorité des cas, il est facile de les repérer lorsque le sujet constate des érections spontanées le matin ou au réveil. Ces patients relèvent plutôt de la psychothérapie, au cours de laquelle, ils reçoivent des informations utiles et applicables.

Le sexologue leur conseillera, par exemple, un certain rythme de sollicitations ou une certaine forme d'ambiance érotique visant à les libérer de l'angoisse d'une « performance obligatoire », ou d'un « record » à dépasser. La technique du « *squeeze* », consistant à pincer énergiquement le frein de la verge pour couper les réflexes, les aidera parfois à dominer la situation en cas d'éjaculation précoce. Mais il est illusoire de croire que le sexologue est un spécialiste qui ne sert qu'à ordonner les examens les plus sophistiqués ou les médicaments « miraculeux » du dernier cri. Il ne faut pas non plus le considérer comme un prescripteur d'exercices érotiques.

La mission du sexologue se situe à la frontière du corps, de l'esprit et du socio-culturel. Elle est extrêmement délicate et complexe et doit chercher avant tout à comprendre la situation, découvrir des conflits cachés ou ignorés, lesquels font obstacles à l'épanouissement et empêchent l'entente entre partenaires. Sonder l'incommensurable n'est pas une mince affaire car les déboires et les détours du cœur comportent des sous-entendus et des non-dits. Le thérapeute doit se montrer à la hauteur de sa tâche, avec tact et subtilité. Lorsque des causes organiques paraissent probables, c'est encore lui qui instruira son patient sur la raison et la nécessité de tel ou tel examen de laboratoire.

Une enquête récente a estimé qu'environ deux millions de Français bâclent plus ou moins leur devoir conjugal et se sentent gênés, résignés ou exclus du plaisir, pour n'avoir pas osé demander l'avis d'un andrologue. Près de 60 % de leurs petits problèmes ont des causes organiques ou mixtes qu'un petit geste médical peut guérir facilement. Le sexologue travaille en effet à la fois comme le guide et le soutien du couple en difficulté. Les partenaires trouvent souvent auprès de lui les conseils ou les solutions à leurs problèmes. Le temps n'est plus où l'on considérait un trouble sexuel comme une maladie mentale, et encore pire une maladie honteuse ! A tous ces problèmes, nous savons que le traitement proposé est logique. Il s'améliore chaque jour au fur et à mesure que progressent nos connaissances sur la biologie de la sexualité. Les résultats thérapeutiques, sans être idéals, s'avèrent néanmoins satisfaisants pour de nombreuses personnes en situation de détresse.

Encouragés par des résultats encore modestes, les chercheurs se tournent désormais vers l'étude de cette force mystérieuse et insaisissable, moteur de l'irrésistible aspiration que l'on nomme désir sexuel. C'est sur cette base virtuelle que se fonde en effet l'édifice où s'entremêlent émotions, sentiments et sensations. Si l'on parvenait à disséquer le mécanisme de la genèse du désir dans le cerveau, on parviendrait peut-être à soigner le désir agonisant, mais le fait de le dénuder de son charme ne porterait-il pas atteinte à sa pudeur intime ? Ne serait-il pas plus poétique de laisser « *les amants* », que René Magritte peint sous leur visage voilé, se découvrir eux-mêmes dans leurs étreintes ?

Toute atmosphère morose, dépressive ou étouffante réduit forcément la disponibilité des amants à l'écoute d'eux-mêmes. Si les neurones sont stressés, ils ne se prêtent guère au romantisme. Comme toute pensée sexuelle constitue à la fois la cause et le résultat du désir, on conçoit que l'humeur et le caractère du moment interviennent de façon significative dans la création du désir. C'est sous cet aspect qu'agissent certaines substances aphrodisiaques, telles que le diabolique champagne !

Mais le dialogue, la compréhension mutuelle, l'accord psychologique et socio-culturel, l'échange des expressions et de la pensée peuvent engendrer encore plus puissamment l'ardeur des idylles. C'est le moment où, dans le système nerveux central, les circuits de la tendresse se modifient, se recyclent et s'enrichissent en permanence. Du cortex sensoriel au centre de la mémoire, des réseaux de la pulsion aux zones de l'idéation et de l'émotivité, tout le corps s'ébranle, s'enflamme, appelle, offre, reçoit, se métamorphose en désir, en passion et en volupté.

C'est à ce titre que les changements d'humeur au cours du cycle menstruel de la femme représentent un exemple physiologique connu. Pour beaucoup, l'apogée des émois se situe pendant la première semaine après les règles. A peine 15 %

des femmes estiment que le sommet de leur désir a lieu la semaine précédant les menstruations. La plupart des plaintes d'anomalie orgasmique se localisent dans l'intervalle de ces deux périodes. Autre fait important, ces femmes signalent que leur irritabilité survient aussi au moment où elles se sentent le moins réceptives.

Ces observations prouvent à l'évidence que les perturbations de l'humeur ainsi que les variations des fonctions biologiques déterminent à des degrés divers l'harmonie sexuelle du couple humain. Ce qui suggère que d'autres facteurs interviennent encore, sans doute, dans la complexité de la genèse du désir.

Nous sommes donc la seule espèce à souffrir des caprices, des soubresauts et des égarements du sexe. Mais le paradoxe, c'est que nous créons et vivons le désir jusqu'à nous identifier à la création de notre désir. Ici le créateur se mute en créature et vice versa. Nous dictons nos lois à l'organe en question, nous lui imposons notre volonté, nos inspirations, voire nos fantasmes, mais en même temps c'est lui qui les réalise. On conçoit dès lors la fragilité de l'entreprise et l'éventualité d'un dérapage au moindre accident de parcours.

Les recherches cliniques s'orientent actuellement vers les précursseurs de la dopamine, déjà employés contre la maladie de Parkinson et vers l'association de la yohimbine et de la naloxone. Ces résultats s'avèrent tantôt encourageants, tantôt décevants à cause de l'inefficacité ou des effets secondaires qui en résultent (nausées, vertiges, éruptions cutanées, palpitations...).

Cela signifie bien que la « *Terra incognita* » du désir reste encore à explorer. Mais nous savons néanmoins que Vénus se montre terriblement fragile à l'égard des nombreuses substances toxiques qui nous entourent. A force de la courtiser, nous finissons par connaître ses goûts, sa sensibilité et par découvrir les principes directeurs qui garantissent à chacun, jeunes et moins jeunes, son charme et son art pour plaire à la déesse de la Féminité.

CHAPITRE XII

CONSEILS À CEUX QUI ADORENT FAIRE L'AMOUR

1 — Toute **toxicomanie** finit à la longue par irriter le sexe. Nos « drogues quotidiennes » sont responsables de la grande majorité des troubles de l'érection. Parmi celles-ci, il faut compter :

• ***Le tabac***

Il occupe la première position sur cette liste noire. A la longue, il finit par détruire les nerfs et les vaisseaux de la verge. Ses innombrables poisons les paralysent d'abord, les obstruent ensuite puis hâtent la sortie du sang par les veines béantes, incapables de limiter sa fuite. Tout grand fumeur ne doit donc pas s'étonner d'être confronté un jour à de sérieux problèmes. Arrêter de fumer sauvera et sa tendresse et son cœur.

• ***L'alcool***

Il s'agit du deuxième ennemi de l'amour. A très petite dose, une demi-flûte de champagne, il égaie, lève les barrières, anime le regard et la langue, émeut la sensibilité et inspire le désir... Le vin, en très petite quantité seulement, fluidifie la membrane des cellules et facilite les échanges et la libération des messagers chimiques.

Cependant, consommé avec excès, l'alcool provoque toujours des effets contraires. L'ébriété rend le buveur grotesque et même déplacé, à un moment où l'esprit devrait au contraire se concentrer pour canaliser son énergie vers les ébats. De même, tout abus de liqueur provoque une décharge désordonnée de neurotransmetteurs. L'incohérence qui en résulte, en paroles et en actes, fatigue le corps et détruit la poésie du moment. L'alcool précipite les séquences, hâte l'éjaculation et bâcle les câlins qui sont surpris par le sommeil.

Empoisonné, le cerveau répond souvent par une quantité anormale de prolactine, hormone qui va jouer le rôle de trouble-fête. Elle freine le désir, éteint la passion et plonge la verge dans une désolante torpeur. Lorsque l'intempérance devient chronique, les dégâts sont encore plus catastrophiques. Ils causent des lésions nerveuses et culminent par une polynévrite. Dans le pire des cas, l'imbibation des enzymes se complique en cirrhose. Le transport et la transformation des graisses sanguines se font mal et menacent les petites artères d'obstruction. Mais le mal frappe surtout le cerveau. Ivre, l'esprit part à la dérive et le désir, écœuré, se meurt.

• *Les somnifères et les tranquillisants*

Ce sont des drogues qui castrent le cerveau et le sexe. Toute consommation prolongée de ces médicaments finit par endormir Éros. Heureusement, nos neurones disposent de plusieurs dispositifs de sécurité et de soutien pour parer à cette agression chimique.

Notre organisme décharge ainsi de l'ocytocine en abondance, pour permettre à l'érection de pouvoir se poursuivre contre vents et marées, au milieu des vertiges provoqués par ces drogues. Cependant les ébats restent des gestes réflexes, totalement dépourvus d'états d'âme et même l'homme le plus amoureux se comporte dans ces cas-là comme un robot.

En effet, tout cerveau chimiquement endormi n'est plus inspiré. Il fait l'amour sans poésie, le corps devient moins leste et les caresses moins chaleureuses. Mises à part les situations aiguës où ces médicaments sont incontestablement indispensables, il n'y a aucune raison de les absorber chaque jour ou chaque nuit, et parfois même matin et soir, sous prétexte que cela aide à combattre le stress des temps modernes.

Nous ne vivons pas une époque plus stressante que les autres et notre société moderne, malgré ses multiples imperfections, protège même mieux ses citoyens que celle où vivait Voltaire. Epidémies, famines, guerres et catastrophes en tous genres terrassaient sans cesse nos ancêtres. Jadis comme aujourd'hui, pour vaincre les nombreux et véritables obstacles du quotidien, il faut préserver, voire renforcer notre combativité. Cela exige un cerveau sain et fort, vigilant et inventif, doué de l'intégrité de ses facultés en vue d'une adaptation intelligente au réel.

2 – Avoir un **sommeil suffisant** est primordial pour garantir une bonne sexualité. Celui qui dort mal est souvent maussade, coléreux et parfois déprimé. Il est donc peu enclin à l'ambiance amoureuse qui demande patience, innovation et originalité. Grands et petits dormeurs doivent savoir que l'humanité est divisée en couche-tôt et en couche-tard. Mais tous, quelle que soit la durée de leur sommeil, doivent avoir un sommeil profond pour se sentir en forme au réveil. C'est cette condition biologique qui seule, confère le dynamisme sexuel que ne peut procurer un sommeil artificiel. Ainsi, le fait de se reposer permet aux noceurs de récupérer leur sommeil et leur procure à nouveau l'envie qu'ils avaient perdu.

Mais le problème le plus inquiétant reste celui des insomniaques. Là non plus, on ne saurait les tirer de l'impasse à coup de somnifères. Tous les moyens naturels doivent au contraire être essayés : exercices physiques, changement de climat, thalassothérapie, cures thermales, photothérapie*,

* Photothérapie : *Méthode de traitement utilisant l'action de la lumière et par extension, les rayons ultraviolets, infrarouges et le laser.*

chronothérapie et yoga. Cette relaxation constitue même, pour certains, un excellent calmant et un aphrodisiaque apprécié... Toutes les médecines « douces » (homéopathie, phytothérapie, acupuncture...) sont utiles pourvu qu'elles soient efficaces et sans inconvénients. Mais n'oublions pas que l'amour aussi engendre des nuits paisibles !

3 — L'**activité physique** a de son côté de multiples atouts. Elle renforce la musculature, améliore la circulation, prévient contre l'obésité et le diabète, détend l'esprit, chasse les coups de cafard et entraîne un meilleur contrôle de soi. Pratiqué par chacun, selon son rythme et ses capacités, le sport fait toujours s'épanouir le corps. Il représente la méthode la plus saine et la plus efficace pour entretenir la bonne humeur, le dynamisme et la virilité. A l'inverse, un sport mal pratiqué, ambitieux et non adapté à la constitution fatigue non seulement le sexe, mais est aussi dangereux pour le muscle cardiaque.

En somme, faire un marathon le dimanche n'est pas à la portée de tout le monde ! Pour un sportif occasionnel, cela représente même une épreuve de grande envergure. Les muscles meurtris épuisent l'organisme et l'inondent de déchets (acide lactique, crétinine...). Il ne faut donc pas s'étonner de ce que la verge n'ait pas envie de faire l'amour.

Tout comme l'activité physique demande assiduité et persévérance, l'amour aime les passionnés. Tout sexe laissé à l'abandon meurt de chagrin et s'épanouit, au contraire, quand on le gâte. Comme toutes les facultés supérieures du cerveau, la sexualité doit être sans cesse cultivée et sublimée.

4 — **En cas de « petites faiblesses »**, le repos, le changement d'air, la marche ou toute autre activité sportive adaptée suffit à recharger l'organisme d'une énergie nouvelle au bout de trois ou quatre jours. Il est rare que les substances dites aphrodisiaques se révèlent vraiment efficaces. Par contre, quelques produits naturels, sains et sans effets indésirables présentent certains avantages dans la mesure où ils procurent des vitamines, des oligo-éléments et des molécules orga-

niques énergisantes. C'est le cas du céleri, du miel de romarin, de la verveine, de la truffe et des huîtres.

Ceux qui ont beaucoup d'imagination prétendent qu'ils sentent venir leur force au bout de quelques heures, mais les vertus aphrodisiaques de ces produits restent purement subjectives.

Le poète persan Omar Khayyam ne demandait, pour sa part, qu'« *Une carafe de vin, du pain et toi* » pour célébrer ses noces dans le *Jardin Parfumé*. Il nous enseignait déjà, au XIe siècle, qu'en titillant les papilles gustatives, on aiguisait aussi d'autres appétits qui rendaient la fin du repas encore plus suave... On peut toujours, par curiosité, se laisser tenter par les multiples substances qui sont censées soutenir l'amour, mais en sachant qu'il ne faut surtout pas tomber dans leur piège. Au fond, ce qui importe avant tout, c'est de savoir qu'un avis médical n'est jamais superflu, surtout lorsque la perte de l'appétit sexuel se prolonge. Un bilan biologique permettra non seulement de comprendre ses causes, mais aussi éventuellement, de dépister une maladie cachée qui ne se manifeste que par cette déficience inattendue.

5 – **L'alimentation** est de tous les remèdes, celui qui occupe incontestablement la place d'honneur. Savoureuse et variée, elle contribue aussi bien à la genèse du sperme qu'à l'éveil du désir. S'imposer un régime monotone ne réjouit guère le cerveau ni le sexe. D'ailleurs, dans toutes les cultures, la « *bonne chère* » a toujours rimé avec « *la chair* ». N'oublions pas que c'est le plaisir de nos sens qui alimente l'intensité des émois. Or, pour porter sa puissance au zénith lors de ses prouesses voluptueuses, le cerveau doit déployer tout son génie, ce qui oblige ses neurones à fonctionner à plein rendement pendant un laps de temps relativement court. C'est pourquoi le cerveau accapare à lui seul, à ce moment, près de 50 % de l'oxygène que consomme l'organisme tout entier. Et pourtant, il ne représente en poids que 2 % de celui du corps ! La puissance et le talent qui sont déployés au cours de ce corps à corps frénétique n'ont d'ailleurs rien à envier à ceux qui sont générés par les « dieux du stade ».

En outre, cet organe ne mange pas n'importe quoi. Il dispose d'une armée de cuisiniers spécialisés, les astrocytes, qui lui mijotent une nourriture raffinée, directement extraite des éléments nutritifs du sang. Le cerveau dévore normalement 4 g de glucose à l'heure, mais cet apport doit être doublé en quelques secondes lorsque le bonheur l'exalte. Curieusement, cet organe qui adore jouir vit même au-dessus de ses moyens, car il possède très peu de réserves ! En dix minutes, il les a totalement dépensées pour sa belle. On ne compte jamais quand on aime ce qui est bien la preuve que rien n'est jamais trop petit en amour.

C'est pourquoi, seule une alimentation agréable et diversifiée peut fournir l'énergie et le plaisir indispensables. Manger des biscottes sans sel ni sucre ni beurre avec des légumes et du poisson bouillis, voilà tout ce qu'il y a de plus désespérant pour nos neurones, à la fois fin gourmets et jouisseurs ! Ces régimes absurdes tant à la mode, lui enlèvent non seulement l'envie de faire l'amour, mais le font encore maigrir en lui raccourcissant la vie de surcroît !

Toute privation sensorielle, affective ou esthétique est aussi néfaste pour le cerveau que pour le sexe. La Bible a, en ce sens, bien raison de nous enseigner que « *L'homme ne se nourrit pas seulement de pain.* »

Manger une omelette aux truffes n'est sûrement pas à la portée de toutes les bourses mais n'importe qui peut savourer un œuf à la coque au petit déjeuner. Cet aliment de grande valeur, injustement accusé dans notre pays, est riche en lécithine et en choline dont raffolent nos neurones. Ils y puisent en effet la matière première nécessaire pour générer leurs neurotransmetteurs.

Notre cerveau est en réalité une masse de lipides. Il lui faut non seulement manger du beurre, mais aussi des huiles végétales dont les acides gras essentiels (acides linoléique et linolénique) brodent l'infini de ses dentelles invisibles. Le beurre apporte même des vitamines vitales (A, D, E...) qui neutralisent les méfaits des radicaux libres (les déchets de notre organisme). Si notre cerveau, en dépit de sa fragilité, se conserve et fonctionne comme une graisse qui ne rancit pas, c'est bien grâce à ses enzymes et à ses vitamines qui le défendent. Il en est de même pour les membranes cellulaires des corps érectiles.

Une nourriture élaborée et diversifiée est donc nécessaire à la jeunesse du cerveau et du sexe. Parce que notre cerveau est l'aboutissement d'une longue évolution de quatre milliards d'années, tout ce qu'il y a de précieux et de merveilleux dans l'univers le compose, tisse ses réseaux incomparables, harmonise sa complexité. Il demande donc à manger, à goûter et à se réjouir de tout, quelle que soit la nature des aliments.

6 – **La sensualité** est enfin tout à fait indispensable à la sexualité. C'est par la danse des caresses, le charme des corps et l'épanouissement total des amants que naît la fascination mutuelle. Ce n'est pas un romantisme de pacotille qui parviendra à pimenter le désir, mais la saveur d'une sensualité réelle.

Trop souvent, la routine émousse et la monotonie tue. Le seul antidote à ces situations désastreuses est l'intimité, l'union totale des amants sur tous les plans. Une ambiance sentimentale, profondément vécue et partagée, éveille bien davantage les émotions qu'aucune autre technique. Peu importe la manière de courtiser l'autre. Un dîner aux chandelles, une soirée passée à la campagne devant un feu de cheminée, un spectacle, un film, un concert, une ballade au bord de la mer, un flirt devant des coupes de champagne... font revivre les souvenirs, chassent l'habitude et recréent un climat propice à la sensualité.

Prendre le temps de s'aimer est devenu le meilleur des aphrodisiaques pour qui mène une vie tumultueuse et trépidante où règne le self-service. Mais il n'y a pas que les grands moyens, les petits gestes tendres enchantent tout autant le cœur. Caresser ou embrasser celui ou celle qu'on aime, se blottir contre lui, lui masser le cou, le dos, les jambes, lui murmurer des mots doux, le prendre par les mains, l'enlacer par la taille ou l'épaule ou encore lui raconter une histoire, répondent toujours à notre soif physique et affective.

Toute stimulation des sens induit la libération des endorphines du cerveau. Ces neurotransmetteurs neutralisent la nervosité, font éclater la bonne humeur et germer l'envie.

Le simple fait de passer d'agréables moments dans un cadre tranquille et détendu permet bien des fois de retrouver tout son sel. Au gré des inspirations et des improvisations, il arrive que la frivolité renaissante brise la glace et répare une panne traînante. Car, ce qui compte avant tout c'est de consacrer son temps et son attention à l'autre, de replonger dans le jardin ludique, comme au temps des premiers baisers et d'être prêt à explorer les chemins de la jouissance.

L'homme qui sait plaire par sa délicatesse, ses câlins, ses folies et ses petites attentions, n'a pas besoin de grands discours, ni d'excitants. Car, comme le pense Madame de la Fayette dans *La Princesse de Clèves* :

> « *Les paroles les plus obscures d'un homme qui plaît donnent plus d'agitation que les déclarations ouvertes d'un homme qui ne plaît pas.* »

Tous ceux qui ont aimé n'ignorent pas que l'amour est une merveilleuse école de créativité :

> « *Aimer, c'est trouver sa richesse hors de soi.* »
>
> (Alain)

Roger-Viollet

Grivoiserie, détail, par Boucher (1703-1770).

Ce tableau fut commandé par Louis, Dauphin de France, pour déniaiser son fils, le futur Louis XVI.

Il fut conservé par Napoléon III dans la salle de bains des Tuileries et fut photographié en double par Lecadre, à l'insu de l'empereur.

Le tableau disparut lors de l'incendie des Tuileries et il ne resta plus que le double du cliché prit par Lecadre.

CONCLUSION

OSER L'IMPOSSIBLE

Trouver le remède idéal pour prolonger la jouissance, c'est le rêve que caresse secrètement l'humanité depuis la nuit des temps. Mais combien pathétique fut l'histoire de cette longue quête ! Les pérégrinations de nos ancêtres, partis conquérir le monde, à la recherche de fabuleuses substances aphrodisiaques, nous ont montré en quoi l'imaginaire et l'utopie ont paradoxalement conduit à d'importantes découvertes médicinales et scientifiques. Cette « petite histoire » des substances et des pratiques aphrodisiaques nous a montré que le rêve peut parfois embellir le réel et, en même temps, le modeler. Et ce phénomène resurgit chaque fois que l'homme, animal révolté, refuse le banal et la terne routine du quotidien. Contre la fatalité, il a de tous temps livré un combat sans merci.

C'est bien le rêve qui a fini par changer, à sa manière, le quotidien. Peut-on ôter à la pensée utopique qui est l'expression d'un désir absolu, son dynamisme et ses qualités inspiratrices ? Et vouloir l'impossible n'est-ce pas aussi le reflet d'une autre constante, cette volonté de toujours vouloir dépasser la réalité existante ?

N'est-ce pas cette ambition-là, cette folie-là qui a poussé les hommes vers le large, inspiré les entreprises les plus fécondes et modifié nos idées sur l'univers et, plus fondamentalement encore, sur nous-mêmes ?

C'est justement en s'ouvrant vers d'autres horizons et en découvrant d'autres cultures, que nos ancêtres se sont enrichis de nouvelles expériences.

Face aux progrès foudroyants des techniques actuelles et à la complexité inimaginable du monde moderne, l'accélération du cours de l'Histoire exige et exigera de plus en plus de notre pensée un effort de renouvellement sans égal.

Plus que jamais, pour affronter le concret et répondre à l'imprévu, l'homme aura besoin de la muse de son enthousiasme et de son imagination. C'est là qu'il puisera sa volonté de dépassement.

C'est bien ce qu'indique cette pensée de Bernard Lown où il explique que c'est curieusement dans l'irrationnel que germe la puissance de création :

> « *Seuls ceux qui voient l'invisible peuvent réaliser l'impossible.* »

Avions-nous oublié cette loi de la Métamorphose universelle ? Après avoir brillé comme une flamme pour guider les hommes vers des mers inconnues, la saga des philtres d'amour leur offre aujourd'hui les merveilles des molécules de la vie. Loin d'être une illusion, l'acquisition de ces connaissances a généré un mouvement libérateur. Si notre ambitieuse imagination s'éteignait, le monde se refermerait sur lui-même, se scléroserait et s'éteindrait à petit feu. Il faut oser l'impossible pour que le présent conserve toute sa vitalité, soutenu par une tension indomptable entre le passé et l'avenir, la réalité et l'espoir, la révolte et le combat.

Depuis une dizaine d'années, les recherches entreprises en andrologie ont concerné les domaines les plus divers et les plus fructueux aussi. Neuro-sciences, biochimie, génétique, éthologie, sexologie et anatomo-physiologie comparée ont permis de mieux cerner le mystère de la sexualité.

Nos connaissances avancent chaque jour grâce à de puissants moyens d'investigation que les sorcières d'antan ne pouvaient même pas imaginer. Résonnance magnétique nucléaire, microscopie électronique, immuno-scintigraphie... dissèquent jour après jour cette horlogerie de l'amour d'une complexité infinie.

Le peu que nous savons rend déjà des services inestimables dans le traitement des principaux dysfonctionnements sexuels. Mieux, l'andrologie a même découvert les règles simples et efficaces de leur prévention. Certaines mesures hygiéno-diététiques sont par exemple indispensables si l'on veut entretenir les flammes du désir. Car la fleur de l'amour est tout ce qu'il y a de plus fragile, elle demande des soins constants pour s'épanouir et faire s'épanouir l'autre.

Nous pouvons d'ores et déjà analyser avec objectivité toutes les formes de déboires sexuels. Non seulement, le diagnostic des causes responsables est maintenant établi de plus en plus précocément, mais cette science de l'homme est même en mesure de leur offrir une gamme de molécules biologiques plus adaptées et plus efficaces. Après avoir simplement imité la nature végétale et animale, compris son fonctionnement et sa composition tout en suivant intelligemment le fil d'Ariane tendu par les générations passées, les chercheurs ont progressivement mis au point des thérapeutiques adaptées.

Hormones et anti-hormones, enzymes et anti-enzymes, neurotransmetteurs et leurs antidotes, énergisants et facteurs de croissance furent tour à tour découverts, extraits et mis à l'épreuve. On retenait les plus intéressants d'entre eux et on les synthétisait ensuite pour les mettre au service de ceux qui en avaient besoin.

La sexologie et l'andrologie peuvent désormais, avec modestie, offrir des informations solides, étudier des problèmes personnels, proposer des conseils et éventuellement des traitements pour tous, jeunes et moins jeunes, vrais et faux défavorisés de la volupté.

Que les hommes qui adorent faire l'amour sachent que cette révolution en profondeur est en marche sous leurs yeux. Elle a pour ambition de soulager, d'expliquer et d'embellir la première des conditions humaines tout en retardant le déclin précoce des flammes du désir.

Libérée de préjugés ridicules, la déficience virile n'est plus une « maladie honteuse ». Elle fait maintenant l'objet d'une étude étendue dont les découvertes profitent aussi à d'autres branches de la Médecine.

Rassurons-nous, car à l'heure où les Rambo aux muscles dopés de puissants anabolisants fascinent tous les cœurs, le

Prince charmant, romantique et séducteur, a encore de belles années devant lui !

C'est ainsi que la tendresse réalise l'harmonie du couple humain, confirme chacun dans son être, s'offre comme la seule puissance, la véritable virilité et élève l'amour à la dimension du sublime.

BIBLIOGRAPHIE

Avertissement

Lorsqu'un article est écrit par plusieurs auteurs, afin de ne pas trop alourdir le texte de références bibliographiques, seul le nom du premier d'entre eux sera généralement cité. Que les autres participants à ces travaux veuillent bien nous en excuser.

- **ALEXANDRE L.**, *Neurotransmission de l'érection,* in Sexologies, Vol. 1, n° 1, 1991.
- **AWANG G.**, *Pathologie sexuelle,* Maloine, Paris, 1990.
- **BACON E.**, *La chimie de l'anxiété,* in La Recherche, décembre 1991.
- **BANCROFT J.**, *Le désir sexuel,* in La Recherche, septembre 1989.
- **BENNETT A.**, *An improved vasoactive drug combination for a pharmacological erection program,* in Journal of Urology, Baltimore, mai 1991.
- **BERGERON A.**, *Identité sexuelle et intervention en sexualité humaine,* in Cahier de Sexologie, n° 67, Université du Québec, 1985.
- **BIGGIO G.**, *Advances in biochemical psychopharmacology,* Raven Press, London, 1990.
- **BOUTEILLER M.**, *Médecine populaire d'hier et d'aujourd'hui,* Maisonneuve, Paris, 1989.
- **BREZA J.**, *Detailed anatomy of penile neurovascular structures,* in Journal of Urology, University of San Francisco, février 1989.
- **BRILEY M.**, *New concepts in Anxiety,* Macmillan Press, Cambridge, 1991.
- **BRUNETON J.**, *Élément de phytochimie et de pharmacognosie,* Lavoisier, Paris, 1987.
- **BUVAT J.**, *Injections intracaverneuses de drogues vaso-actives,* in Journal d'Urologie, Paris, 1986.
- **CALAME Cl.**, *L'Amore in Grecia,* Laterza, Roma, 1983.
- **CAVALLINI G.**, *Minoxidil versus nitroglycerin : a double-blind controlled trial in transcutaneous erection facilitation for organic impotence,* in Journal of Urology, Department of Urology, Veneto, Italy, juillet 1991.
- **COHEN J.**, *Influence des contraceptifs oraux sur la sexualité,* in Cahiers de Sexologie Clinique, n° 62, 1985.
- **COULIANO J.P.**, *Eros and Magic in the Renaissance,* Chicago University Press, 1989.
- **DOLE G.**, *Man, Culture and Society,* Oxford University Press, 1956.
- **DOREMIEUX J.**, *Hémodynamique de l'érection : nouvelles données pharmacologiques,* in Ann. Urologie, n° 9, 1985.

- **Duby G.**, *Histoire de la vie privée* (5 volumes), Seuil, Paris, 1987.
- **Freeman W.**, *La physiologie de la perception,* Scientific American, avril 1991.
- **Hansen S.**, *Psychopharmacology and sexual disorders,* Oxford University Press, 1983.
- **Joels M.**, *Errects of glucocorticoïds and Norepinephrine in the hippocampus,* in Science, n° 245, 1989.
- **Kaplan J.C.**, *Biologie moléculaire et médecine,* Flammarion, Paris, 1989.
- **Knobil E.**, *The physiology of reproduction* (Volumes 1 et 2), London Raven Press, 1988.
- **Meyer Ph.**, *Etat de veille et de sommeil,* Masson, Paris, 1990.
- **Monod H.**, *Physiologie du sport,* Masson, Paris, 1990.
- **Morton G.**, *Botany from Ancient Times to the Present Day,* National Academic Press, Washington, 1981.
- **Nelson R.P.**, *Nonoperative management of impotence,* in Journal of Urology, Baltimore, n° 1, 1989.
- **Oppenheimer N.J.**, *Methods in Enzymology,* National Academic Press, Washington, 1989.
- **Pebeyre P.J.**, *Le grand Livre de la Truffe,* Laffont, Paris, 1987.
- **Perlemuter L.**, *Dictionnaire pratique de thérapeutique médicale,* 6e édition, Masson, Paris, 1990.
- **Rousselle A.**, *Porneia. De la maîtrise du corps à la privation sensorielle,* Presses Universitaires de France, 1983.
- **Sitsen J.M.**, *Handbook of Sexology,* Elsevier, Amsterdam, 1988.
- **Stearns S.C.**, *The evolution of sex and its consequences,* Birkauser Verlag, Berlin, 1987.
- **Stoddart D.M.**, *The scented Ape. The biology and culture of human odeur,* Cambridge University Press, 1991.
- **Tisserand R.**, *Aromatherapy for everyone,* Penguin Press, London, 1989.
- **Tran Ky** et **F. Drouard**, *Les Racines du Sexe,* Presses de la Renaissance, Paris, 1985.
- **Tran Ky** et **F. Drouard,** *Nos drogues quotidiennes,* Ed. Sang de la Terre, Paris, 1985.
- **Tran Ky,** *Obésité,* Ed. Economica, Paris, 1984.
- **Trop S.C.**, *Autonomic Dysreflexia and its urological implications,* in Journal of Urology, décembre 1991.
- **Van Toller s.**, *Perfumery : the psychology and biology of fragance,* Chapman and Hall, 1988.
- **Zorgniotti A.W.**, *Diagnosis and management of Impotence,* Decker, Philadelphia, 1991.

- **Revues spécialisées à consulter :**
  Annual Review of Anthropology, de 1980 à 1991.
  The Journal of American Medical Association (JAMA), idem.
  Annale d'Urologie, idem.
  The Journal of Urology, idem.
  Journal of Psychosomatic Research, idem.
  Cahiers de Sexologie Clinique, idem.
  Médecine/Science, de 1985 à 1991.
  Nature, idem.
  Science, idem.

TABLE DES MATIÈRES

LES VERTUS THÉRAPEUTIQUES DU CHOCOLAT

par le Docteur Hervé ROBERT

Préface du Professeur Jacques MIROUZE

de l'Académie de médecine

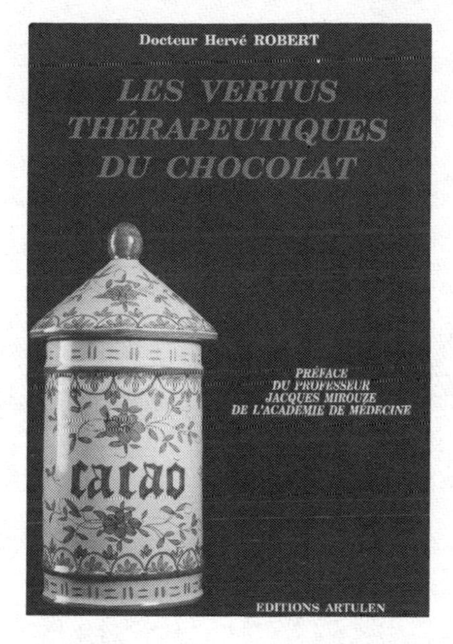

Tout le monde aime le chocolat, mais nombreux sont ceux qui ne voient en lui qu'une gourmandise toujours consommée avec un profond sentiment de culpabilité.
Car il n'est rien qui soit autant chargé d'*a priori* que le chocolat.
Au-delà des polémiques, l'auteur de cet ouvrage, médecin de surcroît, fait l'inventaire des idées reçues sur un produit qu'on a traditionnellement laissé accuser de tous les maux.
Preuves à l'appui, le chocolat sort "blanchi" et "amer" de tous les faux procès qu'on lui fit trop souvent.
Que les croqueurs invétérés et autres gourmands se réjouissent, car les études scientifiques de ces dernières années réhabilitent totalement leur péché mignon.
Démonstration est ainsi faite que le chocolat est bien un aliment à part entière et qu'il est, de plus particulièrement bénéfique pour la santé, car il est riche en magnésium, en vitamines, en oligo-éléments et fait même baisser le cholestérol. Il est, par ailleurs, tonique, antidépresseur et aphrodisiaque...
Ce livre retrace l'aventure passionnante de cette denrée, aux lointaines origines, au nom de laquelle de nombreuses querelles d'opinions éclatèrent parmi les gourmands, l'Eglise et les médecins du temps de Molière.
A travers un exposé clair et précis, truffé d'anecdotes savoureuses et étayé de commentaires historiques et médicaux, le lecteur découvrira la preuve définitive des exceptionnelles vertus thérapeutiques de cet aliment qui réconcilie "les plaisirs de la gourmandise et les bienfaits de la diététique".

Après avoir lu ces pages, ce sont ceux qui ne mangent pas de chocolat régulièrement qui se sentiront coupables et honteux.

ISBN 2-906236-21-7
232 pages. Format 27,5 × 18,5 Prix 188 F TTC
Présentation luxueuse

Editions ARTULEN 46 Avenue d'Iéna 75116 Paris Tél. 40 70 91 47

LES VERTUS THÉRAPEUTIQUES DU CHAMPAGNE

historique, tradition, biologie, diététique

par François BONAL, Docteur TRAN KY, Docteur F. DROUARD

Tout le monde sait que le champagne a depuis son origine symbolisé le vin de l'amitié, de l'amour et de la réussite.

Il est ainsi toujours associé à toute réjouissance et il n'est pas d'inauguration, de commémoration ou autre célébration sans que *"le vin aux bulles d'or"* ne soit de la fête pour le plaisir de tous.

Mais ce que l'on a trop souvent oublié, c'est que bien avant que le champagne soit devenu la plus noble des boissons, il fut officiellement admis comme salutaire et médicamenteux.

Pendant des siècles il fut en effet le meilleur auxiliaire de la digestion, un reconstituant efficace et le remède idéal pour rendre roses les idées noires.

Reconnu comme un puissant antiseptique et l'un des meilleurs diurétiques, il se montrait souverain contre les rhumatismes et la prévention du vieillissement.

Les découvertes scientifiques les plus récentes et notamment celles de la biologie moléculaire, nous confirment aujourd'hui les vertus thérapeutiques exceptionnelles du vin de Champagne.

Ecrit par les meilleurs experts en la matière, ce livre retrace tout l'historique des propriétés médicinales du champagne.

Il décrit par ailleurs dans un langage simple et accessible à tous comment les scientifiques modernes ont fait la preuve de ses remarquables propriétés et de l'usage que l'on peut en faire en médecine du fait de ses vertus préventives et curatives.

Le lecteur découvrira ainsi que le champagne, à dose raisonnable, fait désormais partie de la pharmacopée moderne et que sans prétendre remplacer les prescriptions habituelles il peut, la plupart du temps, constituer un excellent complément thérapeutique.

ISBN 2-906236-08-X
232 pages. Format 27,5 × 18,5 Prix 188 F TTC
Présentation luxueuse

Editions ARTULEN 46 Avenue d'Iéna 75116 Paris Tél. 40 70 91 47

LES VERTUS THÉRAPEUTIQUES DU BORDEAUX

historique, tradition, biologie, diététique

par les docteurs TRAN KY, F. DROUARD et J.-M. GUILBERT

Rouge comme le sang, vivifiant comme la sève, le vin dcpuis son apparition a symbolisé la source de vie.

Hippocrate, le père de la médecine, en avait fait la base principale de toutes les thérapies et c'est ce principe que la tradition populaire, dans toute sa sagesse, a perpétué à travers les siècles.

Le vin, remarquable par sa diversité, puise sa richesse dans la variété de ses crus. Chaque produit de la vigne a ses particularités, son goût, unc composition et des vertus qui lui sont propres.

Le bordeaux, quant à lui, est une boisson privilégiée qui sait verser dans nos cœurs hésitants, la confiance et l'cspoir, il est le libérateur de l'esprit et l'illumination de l'intelligence.

Ecrit par une équipe de médecins, experts en la matière, ce livre démontre à la lumière des plus récentes découvertes en biologie moléculaire, que le bordeaux, par la spécificité et la multiplicité de ses composants, exerce ses vertus thérapeutiques dans le traitement et la prévention de nombreux troubles de la santé.

Le lecteur apprendra ainsi que, grâce à sa haute teneur en vitamines, tanins, sels minéraux et oligo-éléments, le bordeaux exerce une action prophylactique contre les états grippaux. Il est, par ailleurs, un agent efficace contre le stress, un adjuvant tonique et bienfaisant pour les personnes âgées ou convalescentes, un reconstituant généreux pour les anémiques ou les asthéniques. Il apporte, enfin, une aide précieuse dans des domaines aussi variés que la circulation sanguine, les problèmes digestifs et bien d'autres encore.

Dans cet ouvrage passionnant, éminemment instructif et abondamment documenté, le lecteur découvrira, outre la fabuleuse histoire naturelle et culturelle de ce vin exceptionnel, un exposé médical clair, accessible à tous, et de surcroît divertissant. Le texte ne manquera pas de captiver tous les amoureux du bordeaux, comme ceux qui ont à cœur de mieux connaître ce noble nectar, dont la réputation n'est plus à faire.

ISBN 2-906236-29-2
264 pages. Format 27,5 × 18,5 Prix 188 F TTC
Présentation luxueuse

Editions ARTULEN 46 Avenue d'Iéna 75116 Paris Tél. 40 70 91 47